义务教育课程标准实验教科书

YU WEN

一年级 下册

一年级____班

姓名________

义务教育课程标准实验教科书

语　文

一年级　下册

课　程　教　材　研　究　所
小学语文课程教材研究开发中心　编著

*

人民教育出版社出版

（北京市海淀区中关村南大街17号院1号楼　邮编：100081）

网址：http://www.pep.com.cn

浙江省出版总社重印

浙江印刷集团有限公司印装

浙江省新华书店发行

*

开本：890毫米×1 240毫米　1/32　印张：5.75　字数：100 000

2001年12月第1版　　2008年10月浙江第14次印刷

ISBN 978-7-107-15035-7
G·8125（课）　定价：6.45元

学科编委会主任：韩绍祥　吕　达

本 册 主 编：崔　峦　蒯福棣

副　主　编：陈先云　蔡玉琴

编 写 人 员：蔡玉琴　徐　轶　崔　峦　蒯福棣
陈先云　李云龙　周国华　孟令全
熊开明　段燕梅　袁晓峰　周光旋
丁培忠　陆　云

插 图 作 者：杨荟铼　郜　欣　周　申　王庆洪
王　巍　杨茂伟 等

责 任 编 辑：徐　轶

封 面 设 计：林荣桓

目 录

标▲的是选读课文

chūn tiān lái le kuài ràng wǒ men yì qǐ
春天来了！快让我们一起

zǒu jìn měi lì de chūn tiān ba
走进美丽的春天吧！

识字 1

chūn huí dà dì wàn wù fù sū
春回大地 万物复苏

liǔ lǜ huā hóng yīng gē yàn wǔ
柳绿花红 莺歌燕舞

bīng xuě róng huà quán shuǐ dīng dōng
冰雪融化 泉水丁冬

bǎi huā qí fàng bǎi niǎo zhēng míng
百花齐放 百鸟争鸣

万 复 苏 柳 歌 舞 冰

泉 丁 百 齐 争 鸣

万	万			丁	丁		
冬	冬			百	百		
齐	齐						

你听到春天的声音了吗？你看见春天的色彩了吗？快来画一画美丽的春天，快去找一找春天在哪里。

1 柳树醒了
liǔ shù xǐng le

chūn léi gēn liǔ shù shuō huà le
春雷跟柳树说话了，
shuō zhe shuō zhe
说着说着，
xiǎo liǔ shù ya xǐng le
小柳树呀，醒了。

chūn yǔ gěi liǔ shù xǐ zǎo le
春雨给柳树洗澡了，
xǐ zhe xǐ zhe
洗着洗着，
xiǎo liǔ zhī yo ruǎn le
小柳枝哟，软了。

本文根据雪兵作品改写。

chūn fēng gěi liǔ shù shū tóu le
春风给柳树梳头了，
shū zhe shū zhe
梳着梳着，
xiǎo liǔ shāo a lǜ le
小柳梢啊，绿了。

chūn yàn gēn liǔ shù zhuō mí cáng le
春燕跟柳树捉迷藏了，
cáng zhe cáng zhe
藏着藏着，
xiǎo liǔ xù ya fēi le
小柳絮呀，飞了。

liǔ shù gēn hái zi men wán shuǎ le
柳树跟孩子们玩耍了，
wán zhe wán zhe
玩着玩着，
xiǎo péng yǒu men zhǎng gāo le
小朋友们，长高了……

在春天里，还有什么醒了呢？

醒 雷 澡 枝 软 梳 梢 耍

说	说			话	话		
朋	朋			友	友		
春	春			高	高		

朗读课文。背诵课文。

打雷　雷雨　树枝　树梢

软和　梳洗　玩耍　苏醒

chūn yǔ de sè cǎi

2 春雨的色彩

chūn yǔ xiàng chūn gū niang fǎng chū de xiàn qīng
春雨，像春姑娘纺出的线，轻
qīng de luò dào dì shàng shā shā shā shā shā shā
轻地落到地上，沙沙沙，沙沙沙……

tián yě lǐ yì qún xiǎo niǎo zhèng zài zhēng lùn
田野里，一群小鸟正在争论
yí gè yǒu qù de wèn tí chūn yǔ dào dǐ shì shén
一个有趣的问题：春雨到底是什
me yán sè de
么颜色的？

xiǎo yǎn zi shuō chūn yǔ shì lǜ sè de nǐ
小燕子说：“春雨是绿色的。你
men qiáo chūn yǔ luò dào cǎo dì shàng cǎo jiù lǜ le
们瞧，春雨落到草地上，草就绿了。
chūn yǔ lín zài liǔ shù shàng liǔ zhī yě lǜ le
春雨淋在柳树上，柳枝也绿了。”

本文根据楼飞甫作品改写。

má què shuō bú duì chūn yǔ shì hóng sè de
麻雀说：“不对，春雨是红色的。
nǐ men qiáo chūn yǔ sǎ zài táo shù shàng táo huā hóng
你们瞧，春雨洒在桃树上，桃花红
le chūn yǔ dī zài dù juān cóng zhōng dù juān huā yě
了。春雨滴在杜鹃丛中，杜鹃花也
hóng le
红了。”

xiǎo huáng yīng shuō bú duì bú duì chūn yǔ
小黄莺说：“不对，不对，春雨
shì huáng sè de nǐ men kàn chūn yǔ luò zài yóu cài
是黄色的。你们看，春雨落在油菜
dì lǐ yóu cài huā huáng le chūn yǔ luò zài pú gōng
地里，油菜花黄了。春雨落在蒲公
yīng shàng pú gōng yīng huā yě huáng le
英上，蒲公英花也黄了。”

chūn yǔ tīng le dà jiā de zhēng lùn xià de
春雨听了大家的争论，下得
gèng huān le shā shā shā shā shā shā
更欢了，沙沙沙，沙沙沙……

春雨到底是什
么颜色的呢？

线 论 趣 题 底 颜

淋 洒 滴 油 欢

你	你			们	们		
红	红			绿	绿		
花	花			草	草		

读读演演 朗读课文，再分角色演一演。

读读说说

滴　雨滴 水滴 ________

欢　欢乐 欢笑 ________

题　题目 数学题 ________

dèng xiǎo píng yé ye zhí shù
3 邓小平爷爷植树

nián de zhí shù jié shì gè lìng rén nán
1985年的植树节，是个令人难
wàng de rì zi
忘的日子。

zhè tiān wàn lǐ wú yún chūn fēng fú miàn
这天，万里无云，春风拂面。
zài tiān tán gōng yuán zhí shù de rén qún lǐ suì
在天坛公园植树的人群里，81岁
gāo líng de dèng xiǎo píng yé ye gé wài yǐn rén zhù
高龄的邓小平爷爷格外引人注
mù zhǐ jiàn tā shǒu wò tiě qiāo xìng zhì bó bó de
目。只见他手握铁锹，兴致勃勃地
wā zhe shù kēng é tóu yǐ jīng bù mǎn hàn zhū réng
挖着树坑，额头已经布满汗珠，仍
bù kěn xiū xi
不肯休息。

yí gè shù kēng wā hǎo le dèng yé ye tiāo
一个树坑挖好了，邓爷爷挑
xuǎn le yì kē zhuó zhuàng de bǎi shù miáo xiǎo xīn de
选了一棵茁壮的柏树苗，小心地
yí rù shù kēng yòu huī qiāo tián le jǐ qiāo tǔ tā
移入树坑，又挥锹填了几锹土。他
zhàn dào jǐ bù zhī wài zǐ xì kàn kan jué de bù
站到几步之外仔细看看，觉得不

hěn zhí lián shēng shuō bù xíng bù xíng yòu zǒu
很直，连声说：“不行，不行！”又走
shàng qián bǎ shù miáo fú zhèng
上前把树苗扶正。

yì kē lǜ yóu yóu de xiǎo bǎi shù zāi hǎo le
一棵绿油油的小柏树栽好了，
jiù xiàng zhàn shì yí yàng bǐ zhí de zhàn zài nà lǐ dèng
就像战士一样笔直地站在那里。邓
yé ye de liǎn shàng lù chū le mǎn yì de xiào róng
爷爷的脸上露出了满意的笑容。

jīn tiān dèng xiǎo píng yé ye qīn shǒu zāi zhòng
今天，邓小平爷爷亲手栽种

de bǎi shù yǐ
的柏树已
jīng zhǎng dà le
经长大了，
xiǎo píng shù chéng
“小平树”成
le tiān tán gōng
了天坛公
yuán yí chù měi
园一处美
lì de fēng jǐng
丽的风景。

邓 植 节 岁 龄 已 经

息 站 行 扶 栽 亲

爷	爷			节	节		
岁	岁			亲	亲		
的	的			行	行		

朗读课文。

植树节快到了，我们也去植树吧！

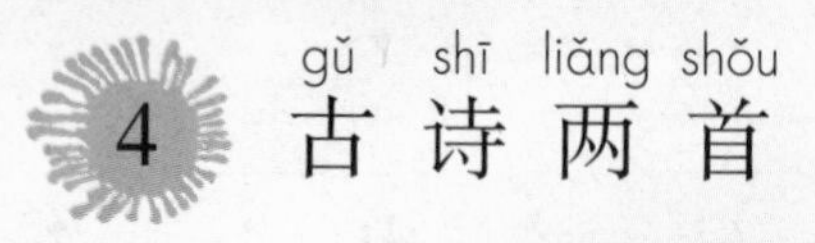

4 古诗两首

gǔ shī liǎng shǒu

春晓

chūn xiǎo

孟浩然

chūn mián bù jué xiǎo
春眠不觉晓，

chù chù wén tí niǎo
处处闻啼鸟。

yè lái fēng yǔ shēng
夜来风雨声，

huā luò zhī duō shǎo
花落知多少。

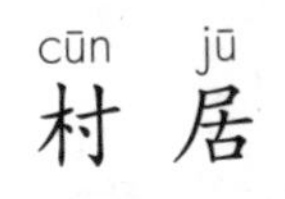

cūn jū

村居

高鼎

cǎo zhǎng yīng fēi èr yuè tiān
草长莺飞二月天，
fú dī yáng liǔ zuì chūn yān
拂堤杨柳醉春烟。
ér tóng sàn xué guī lái zǎo
儿童散学归来早，
máng chèn dōng fēng fàng zhǐ yuān
忙趁东风放纸鸢。

古 诗 首 眠 处 闻 村
居 醉 烟 童 散 忙

古	古			声	声		
多	多			处	处		
知	知			忙	忙		

读读背背 朗读课文。背诵课文。

读读说说

诗　诗人 ________

闻　见闻 ________

古　古往今来 ________

好的。

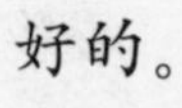

我们一起做个
风筝去放吧!

语文园地一

我的发现

哥—歌　直—植　平—评（评论）píng

星—醒　古—故　方—访（访问）fǎng

丁—灯　鸟—鸣　齐—挤（挤满）jǐ

底—低（低头）　油—邮（邮局）yóu jú

桥—轿（轿车）jiào　线—钱（花钱）qián

今天，我发现了两种识字的方法。你知道是什么吗？

评 访 挤 邮 局 轿 钱

日积月累

我会读

fú

春暖花开　春风拂面　万里无云

shèng

五颜六色　百花盛开　欢歌笑语

我会写

chūn tiān lái le

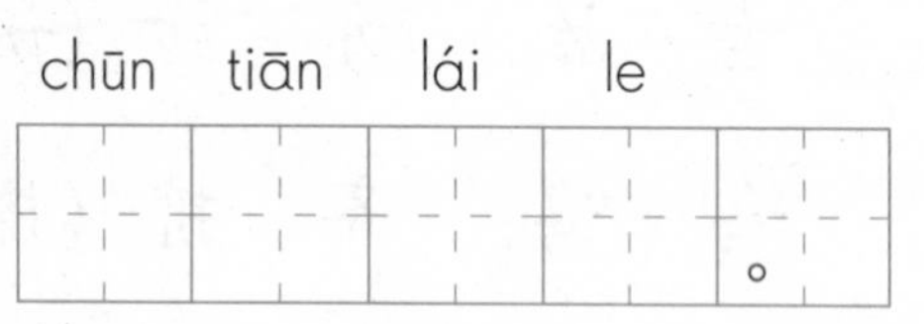

。

xiǎo péng yǒu men zhǎng gāo le

。

读读背背

花园果园

我们村种了许多果树。

春天，果树开花了。梨(lí)花开了，苹果花也开了。我们村成了花园。

秋天，果子熟(shú)了。梨熟了，苹果也熟了。我们村成了果园。

口语交际

春天在哪里

1 你找到春天了吗？跟同学交(jiāo)流交流你找到的春天。

2 把你画的春天给大家看，再给他们讲(jiǎng)讲你的画。

3 评一评谁画得好，谁讲得好。

展 示 台

我会唱

我会唱很多春天的歌：“春天在哪里呀，春天在哪里……”

识字擂台

我认识班上所有同学的名字，你呢？

wǒ men dōu yǒu wēn nuǎn de jiā wǒ men
我们都有温暖的家。我们
ài zì jǐ de jiā ài bà ba mā ma ài jiā
爱自己的家，爱爸爸妈妈，爱家
lǐ de měi yí gè rén
里的每一个人。

识字 2

xiǎo péng yǒu zhèng nián shào zūn zhǎng bèi dǒng lǐ mào
小朋友，正年少，尊长辈，懂礼貌。
fù mǔ jiào rèn zhēn tīng zuò cuò shì jí gǎi zhèng
父母教，认真听，做错事，即改正。
zhǎng bèi cuò yào tí xǐng tài dù hǎo xīn yì chéng
长辈错，要提醒，态度好，心意诚。
jiā wù shì yuàn chéng dān xǐ wǎn kuài sǎo tíng yuàn
家务事，愿承担，洗碗筷，扫庭院。
jiā ài wǒ wǒ ài jiā hǎo hái zi rén rén kuā
家爱我，我爱家，好孩子，人人夸。

懂 貌 父 母 教 认 错

事 改 愿 碗 筷 扫 夸

洗	洗			认	认		
扫	扫			真	真		
父	父			母	母		

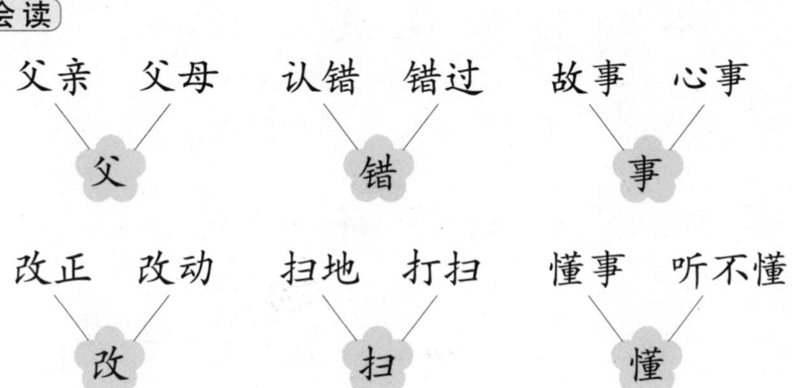

5 kàn diàn shì
看电视

měi tiān wǒ men quán jiā rén dōu kàn diàn shì
每天，我们全家人都看电视，
wǒ jiā kàn diàn shì zhēn yǒu xiē qí miào
我家看电视，真有些奇妙——

bà ba míng míng shì gè zú qiú mí
爸爸明明是个足球迷，
què bǎ yì chǎng jīng cǎi de qiú sài guān diào
却把一场精彩的球赛关掉。
bù zhī wèi shá huàn chéng le jīng jù
不知为啥换成了京剧，
yī yī yā yā de chàng gè méi wán méi liǎo
咿咿呀呀的，唱个没完没了。
zhǐ yǒu nǎi nai tīng de rù le mí
只有奶奶听得入了迷，
wǒ hé bà ba dōu zài dǎ dǔn shuì jiào
我和爸爸都在打盹睡觉。

本文作者蒲华清。

nǎi nai shá shí huàn le pín dào
奶奶啥时换了频道？

qiú yuán men zhèng zài chǎng shàng fēi pǎo
球员们正在场上飞跑。

hǎo qiú hǎo qiú kuài shè mén
“好球，好球，快射门！”

wǒ hé bà ba lè de zhí jiào
我和爸爸乐得直叫。

nǎi nai bú kàn diàn shì zhǐ kàn wǒ men
奶奶不看电视只看我们，

hé wǒ men yì qǐ pāi shǒu huān xiào
和我们一起拍手欢笑。

mā ma cóng shū fáng zǒu le chū lái
妈妈从书房走了出来，

tā zài xiū gǎi zuì jìn xiě de wén gǎo
她在修改最近写的文稿。

kàn zhe mā ma yì liǎn de pí láo
看着妈妈一脸的疲劳，

wǒ men dōu tí yì bú zài kàn qiú sài
我们都提议不再看球赛，

ràng mā ma tīng ting yīn yuè kàn kan wǔ dǎo
让妈妈听听音乐，看看舞蹈。

měi tiān wǒ men quán jiā rén dōu kàn diàn shì
每天，我们全家人都看电视，

wǒ jiā kàn diàn shì kě zhēn yǒu xiē qí miào
我家看电视，可真有些奇妙！

měi gè rén xīn lǐ dōu zhuāng zhe yí gè mì mì
每个人心里都装着一个秘密，

dào dǐ shì shá bù shuō nǐ yě zhī dào
到底是啥？不说你也知道。

到底是什么秘密呢？

全 奇 妙 却 精 赛 关

掉 完 换 员 写 音 蹈

爸	爸			全	全		
关	关			写	写		
完	完			家	家		

朗读课文。

我爸爸妈妈最爱看新闻联播。

我爸爸妈妈爱看什么节目？以后我要留意。

pàng hū hū de xiǎo shǒu

6 胖乎乎的小手

quán jiā rén dōu xǐ huan lán lan huà de zhè zhāng huà

全家人都喜欢兰兰画的这张画。

bà ba gāng xià bān huí lái ná qǐ huà kàn le yòu kàn bǎ huà tiē zài le qiáng shàng lán lan bù míng bai wèn wǒ zhǐ shì huà le zì jǐ de xiǎo shǒu a wǒ yǒu nà me duō huà nín wèi shén me zhǐ tiē zhè yì zhāng ne

爸爸刚下班回来，拿起画，看了又看，把画贴在了墙上。兰兰不明白，问：“我只是画了自己的小手啊！我有那么多画，您为什么只贴这一张呢？”

本文根据望安作品改写。

bà ba shuō zhè pàng hū hū de xiǎo shǒu tì
爸爸说：“这胖乎乎的小手替
wǒ ná guò tuō xié ya
我拿过拖鞋呀！”

mā ma xià bān huí lái kàn jiàn huà xiào zhe
妈妈下班回来，看见画，笑着
shuō zhè pàng hū hū de xiǎo shǒu gěi wǒ xǐ guò shǒu
说：“这胖乎乎的小手给我洗过手
juàn a
绢啊！”

lǎo lao cóng chú fáng chū lái yì yǎn jiù kàn
姥姥从厨房出来，一眼就看
jiàn le huà shàng hóng rùn rùn de xiǎo shǒu shuō zhè
见了画上红润润的小手，说：“这
pàng hū hū de xiǎo shǒu bāng wǒ náo guò yǎng yang a
胖乎乎的小手帮我挠过痒痒啊！”

lán lan míng bai le quán jiā rén wèi shén me
兰兰明白了全家人为什么
dōu xǐ huan zhè zhāng huà tā gāo xìng de shuō děng
都喜欢这张画。她高兴地说：“等
wǒ zhǎng dà le xiǎo shǒu biàn chéng le dà shǒu tā huì
我长大了，小手变成了大手，它会
bāng nǐ men zuò gèng duō de shì qing
帮你们做更多的事情！”

兰兰长大以后，会帮家人做哪些事情呢？

胖 喜 张 刚 贴 墙 替
拖 鞋 帮 等 变 情

看	看			着	着		
画	画			笑	笑		
兴	兴			会	会		

朗读课文。

我替爸爸______________________。

我给妈妈______________________。

我帮老师______________________。

我为大家______________________。

mián xié lǐ de yáng guāng

7 棉鞋里的阳光

zǎo chén yáng guāng zhào dào le yáng tái shàng
早晨，阳光照到了阳台上，
mā ma zài gěi nǎi nai shài mián bèi xiǎo fēng wèn
妈妈在给奶奶晒棉被。小峰问
mā ma nǎi nai de mián bèi yì diǎn er yě méi
妈妈：“奶奶的棉被一点儿也没
shī gàn má yào shài ne
湿，干吗要晒呢？”

mián bèi shài guò le nǎi nai gài shàng huì
“棉被晒过了，奶奶盖上会
gèng nuǎn huo mā ma shuō
更暖和。”妈妈说。

wèi shén me ne xiǎo fēng yòu wèn
“为什么呢？”小峰又问。

mā ma shuō mián bèi lǐ yǒu mián hua ràng
妈妈说：“棉被里有棉花，让

本文根据野军作品改写。

yáng guāng zuān jìn mián hua lǐ nǐ shuō nuǎn huo bù
阳光钻进棉花里，你说暖和不
nuǎn huo
暖和？”

chī guò wǔ fàn nǎi nai yào shuì wǔ jiào mā
吃过午饭，奶奶要睡午觉，妈
ma shōu le mián bèi pū dào chuáng shàng nǎi nai tuō xià mián
妈收了棉被铺到床上。奶奶脱下棉
xié tǎng jìn bèi wō shuō zhè bèi zi zhēn nuǎn huo
鞋，躺进被窝，说：“这被子真暖和。”
tā shū fu de hé shàng le yǎn jing
她舒服地合上了眼睛。

nǎi nai shuì zháo le xiǎo fēng xiǎng nǎi nai de mián
奶奶睡着了。小峰想：奶奶的棉
xié lǐ yě yǒu mián hua yú shì tā qīng qīng de bǎ
鞋里也有棉花……于是，他轻轻地把
nǎi nai de mián xié bǎi zài yáng guāng shài dào de dì fang
奶奶的棉鞋摆在阳光晒到的地方。

nǎi nai xǐng le xiǎo fēng bǎ mián xié fàng huí

奶奶醒了，小峰把棉鞋放回

chuáng qián nǎi nai qǐ chuáng le bǎ jiǎo shēn jìn mián xié

床前。奶奶起床了，把脚伸进棉鞋

lǐ qí guài de wèn yí mián xié zěn me zhè me

里，奇怪地问：“咦，棉鞋怎么这么

nuǎn huo

暖和？”

xiǎo fēng xiào le xiào shuō nǎi nai mián xié

小峰笑了笑，说：“奶奶，棉鞋

lǐ yǒu hǎo duō yáng guāng ne

里有好多阳光呢！”

我会认

棉 照 晒 被 盖 午 收

脱 躺 合 眼 睛 摆

我会写

妈	妈			奶	奶		
午	午			合	合		
放	放			收	收		

读一读 朗读课文。

yuè liang de xīn yuàn

8 月亮的心愿

yè shēn le yuè liang tòu guò chuāng lián kàn jiàn

夜深了，月亮透过窗帘，看见

yí gè xiǎo nǚ hái shuì zài chuáng shàng shēn páng yǒu gè

一个小女孩睡在床上，身旁有个

bèi bāo lǐ miàn zhuāng zhe shuǐ guǒ hé diǎn xin

背包，里面装着水果和点心。

yuè liang zì yán zì yǔ de shuō míng tiān hái

月亮自言自语地说：“明天孩

zi men qù jiāo yóu děi qù gēn tài yáng gōng gong shāng

子们去郊游，得去跟太阳公公商

liang shāng liang ràng míng tiān yǒu gè hǎo tiān qì

量商量，让明天有个好天气。”

yuè liang yòu lái dào lìng yì jiā de chuāng qián

月亮又来到另一家的窗前，

zhǐ jiàn yí gè xiǎo nǚ hái zhèng zài zhào gù shēng bìng

只见一个小女孩正在照顾生病

de mā ma
的妈妈。

mā ma shuō zhēn zhen zǎo diǎn er shuì ba
妈妈说："珍珍，早点儿睡吧，
bú yào tài lèi le míng tiān nǐ hái yào qù jiāo yóu
不要太累了，明天你还要去郊游
ne
呢。"

mā ma wǒ bù xiǎng qù le
"妈妈，我不想去了。"

míng tiān hái shì hé dà jiā yì qǐ qù wán
"明天还是和大家一起去玩
wan ba
玩吧！"

kě shì yī shēng shuō nín de bìng hái méi hǎo
"可是，医生说您的病还没好
ne
呢！"

yuè liang qiāo qiāo de lí kāi le chuāng hu xīn
月亮悄悄地离开了窗户，心

lǐ xiǎng wǒ qù gēn léi gōng gong shuō shuo míng tiān
里想：“我去跟雷公公说说，明天

hái shì xià yǔ ba
还是下雨吧！”

liǎng tiān hòu de yí gè yàn yáng tiān hái zi
两天后的一个艳阳天，孩子

men yí gè dōu bù shǎo pái zhe duì yú kuài de zǒu
们一个都不少，排着队，愉快地走

zài jiāo yóu de lù shàng
在郊游的路上。

帘 女 背 装 气 另 顾

病 太 累 医 悄 离 户

女	女			太	太		
气	气			早	早		
去	去			亮	亮		

朗读课文。

语文园地二

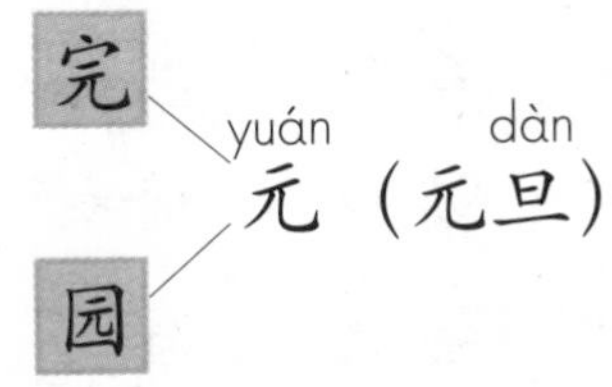

植（植树）

直

zhí
值（值日生）

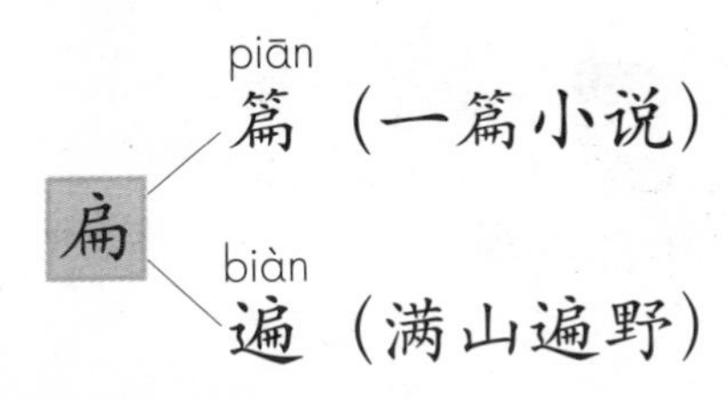

我发现这些字可以用减一减、加一加的办法来学。你发现了吗？

票 元 旦 值 篇 遍

张贴　　一张画　　东张西望

开张　　张爷爷　　张开嘴巴

日积月累

我会读

父母　子女　眼睛　医生　太阳

喜爱　照顾　改变　离开　摆动

精彩　奇妙　认真　欢乐　生气

事情　变化　另外　刚刚　完全

读读背背

鞋

我回家，把鞋脱下，
爸爸妈妈回家，把鞋脱下，
爷爷奶奶回家，
也都把鞋脱下。

大大小小的鞋，
像是一家人，
依(yī)偎(wēi)在一起，
说着一天的见闻。

诗歌根据林武宪作品改写。

大大小小的鞋，
就像大大小小的船，
回到安静的港(gǎng)湾(wān)，
享(xiǎng)受(shòu)家的温(wēn)暖。

口语交际

我该(gāi)怎么办(bàn)

我很想帮爸爸妈妈做些家务(wù)事，可是他们总(zǒng)说我做不好，不让我做。我该怎么办呢？帮我出出主(zhǔ)意(yì)，好吗？

展示台

我在看电视的时候认识了很多字，让我读给大家听。

wǒ men shēng huó zài měi lì de dì qiú
我们生活在美丽的地球
shàng dì qiú shì wǒ men gòng tóng de jiā yuán
上。地球是我们共同的家园，
wǒ men dà jiā dōu ài tā
我们大家都爱她。

识字 3

yún duì wù
云对雾，
xuě duì shuāng
雪对霜。
hé fēng duì xì yǔ
和风对细雨，
zhāo xiá duì xī yáng
朝霞对夕阳。

huā duì cǎo
花对草，
dié duì fēng
蝶对蜂。
lán tiān duì bì yě
蓝天对碧野，
wàn zǐ duì qiān hóng
万紫对千红。

táo duì lǐ
桃对李，
liǔ duì yáng
柳对杨。
shān qīng duì shuǐ xiù
山清对水秀，
niǎo yǔ duì huā xiāng
鸟语对花香。

雾 霜 朝 霞 夕 蝶 蜂

碧 紫 千 李 杨 秀

和	和			语	语		
千	千			李	李		
秀	秀			香	香		

朝阳　　晚霞　　晨雾　　秋霜

山清水秀　　万紫千红

和风细雨　　鸟语花香

9 两只鸟蛋

liǎng zhī niǎo dàn
两只鸟蛋

wǒ cóng shù chà shàng qǔ xià liǎng zhī niǎo dàn
我从树杈上取下两只鸟蛋，
xiǎo xiǎo de niǎo dàn liáng liáng de
小小的鸟蛋凉凉的，
ná zài shǒu shàng zhēn hǎo wán
拿在手上真好玩。

mā ma kàn jiàn le shuō
妈妈看见了，说：
liǎng zhī niǎo dàn jiù shì liǎng zhī xiǎo niǎo
两只鸟蛋就是两只小鸟，
niǎo mā ma zhè huì er yí dìng jiāo jí bù ān
鸟妈妈这会儿一定焦急不安！

wǒ xiǎo xīn de pěng zhe niǎo dàn
我小心地捧着鸟蛋，
lián máng zǒu dào shù biān
连忙走到树边，
qīng qīng de bǎ niǎo dàn sòng huán
轻轻地把鸟蛋送还。

wǒ fǎng fú tīng jiàn niǎo er de huān chàng
我仿佛听见鸟儿的欢唱，

tái qǐ tóu lái
抬起头来，

bǎ mù guāng tóu xiàng gāo yuǎn de lán tiān
把目光投向高远的蓝天。

我会认

蛋 取 凉 定 捧 连

轻 仿 佛 抬 投 向

我会写

听	听			唱	唱		
连	连			远	远		
定	定			向	向		

读读背背　朗读课文。背诵课文。

我会读

鸟蛋凉凉的　　凉凉的鸟蛋

小路长长的　　长长的小路

杨树高高的　　高高的杨树

10 松鼠和松果

sōng shǔ hé sōng guǒ

sōng shǔ cōng míng huó po xué huì le zhāi sōng guǒ chī tā gāo gāo xìng xìng de zǒu jìn dà sēn lín zhāi le yí gè yòu yí gè měi gè sōng guǒ dōu nà me xiāng nà me kě kǒu

松鼠聪明活泼，学会了摘松果吃。他高高兴兴地走进大森林，摘了一个又一个。每个松果都那么香，那么可口。

hū rán sōng shǔ zhǎ zha yǎn jing xiǎng qǐ lái le rú guǒ guāng zhāi sōng guǒ bù zāi sōng shù zǒng yǒu yì tiān yì kē sōng shù yě méi yǒu le

忽然，松鼠眨眨眼睛，想起来了：如果光摘松果，不栽松树，总有一天，一棵松树也没有了！

本文根据林颂英作品改写。

méi yǒu le sōng shù méi yǒu le sēn lín yǐ
没有了松树，没有了森林，以
hòu dào chù guāng tū tū de xiǎo sōng shǔ xiǎo xiǎo sōng
后到处光秃秃的，小松鼠、小小松
shǔ xiǎo xiǎo xiǎo sōng shǔ tā men chī shén me ne
鼠、小小小松鼠……他们吃什么呢？
dào nǎ er qù zhù ne
到哪儿去住呢？

duì sōng shǔ yǒu le hǎo zhǔ yì měi cì zhāi
对，松鼠有了好主意：每次摘
sōng guǒ chī yí gè jiù zài tǔ lǐ mái xià yí gè
松果，吃一个，就在土里埋下一个。

chūn tiān jǐ cháng méng méng xì yǔ guò hòu zài
春天，几场蒙蒙细雨过后，在
sōng shǔ mái sōng guǒ de dì fang zhǎng chū le yì kē
松鼠埋松果的地方，长出了一棵

kē tǐng bá de xiǎo sōng shù
棵挺拔的小松树。

jiāng lái zhè lǐ huì shì yí piàn gèng mào mì de sōng shù lín
将来，这里会是一片更茂密的松树林。

我会认

聪 活 泼 忽 然 眨

如 总 以 主 意

我会写

以	以			后	后		
更	更			主	主		
意	意			总	总		

读一读　朗读课文。

11 美丽的小路

měi lì de xiǎo lù

yā xiān sheng de xiǎo wū qián yǒu yì tiáo cháng cháng de xiǎo lù, lù shàng pū zhe huā huā lǜ lǜ de é luǎn shí, lù páng kāi zhe wǔ yán liù sè de xiān huā.

鸭先生的小屋前有一条长长的小路，路上铺着花花绿绿的鹅卵石，路旁开着五颜六色的鲜花。

tù gū niang qīng qīng de cóng xiǎo lù shàng zǒu guò, shuō: "à, duō měi de xiǎo lù a!"

兔姑娘轻轻地从小路上走过，说："啊，多美的小路啊！"

lù xiān sheng màn màn de cóng xiǎo lù shàng zǒu guò, shuō: "à, duō měi de xiǎo lù a!"

鹿先生慢慢地从小路上走过，说："啊，多美的小路啊！"

本文根据缪启明作品改写。

péng yǒu men dōu xǐ huan zài měi lì de xiǎo lù
朋友们都喜欢在美丽的小路

shàng sàn san bù shuō shuo huà kě shì guò le bù jiǔ
上散散步，说说话。可是过了不久，

xiǎo lù shàng duī jī le xǔ duō lā jī cāng ying zài
小路上堆积了许多垃圾，苍蝇在

xiǎo lù shàng wēng wēng de fēi lái fēi qù měi lì de
小路上嗡嗡地飞来飞去，美丽的

xiǎo lù bú jiàn le
小路不见了。

tù gū niang yòu cóng xiǎo lù shàng zǒu guò zhòu
兔姑娘又从小路上走过，皱

qǐ le méi tóu shuō yā měi lì de xiǎo lù zěn
起了眉头，说：“呀，美丽的小路怎

me bú jiàn le
么不见了？”

lù xiān sheng yòu cóng xiǎo lù shàng zǒu guò wǔ
鹿先生又从小路上走过，捂

shàng le bí zi shuō yí měi lì de xiǎo lù nǎ
上了鼻子，说：“咦，美丽的小路哪

er qù le
儿去了？”

yā xiān sheng yě jiào qǐ lái tiān na wǒ
鸭先生也叫起来：“天哪！我

de měi lì de xiǎo lù ne
的美丽的小路呢？”

tā kàn zhe kàn zhe hū rán yì pāi nǎo dai
他看着看着，忽然一拍脑袋，

shuō wǒ míng bai le zhè dōu guài wǒ wǒ yí dìng
说：“我明白了！这都怪我！我一定

yào bǎ měi lì de xiǎo lù zhǎo huí lái
要把美丽的小路找回来！”

yā xiān sheng tuī lái yí liàng xiǎo chē ná lái
鸭先生推来一辆小车，拿来

yì bǎ sào zhou rèn zhēn de qīng sǎo xiǎo lù shàng de
一把扫帚，认真地清扫小路上的

lā jī tù gū niang hé lù xiān sheng kàn jiàn le yě
垃圾。兔姑娘和鹿先生看见了，也

gǎn lái bāng máng tā men tí zhe sǎ shuǐ hú gěi huā
赶来帮忙。他们提着洒水壶，给花

er jiāo jiao shuǐ gěi xiǎo lù xǐ xi zǎo méi guò duō
儿浇浇水，给小路洗洗澡。没过多

jiǔ yì tiáo gān gān jìng jìng de xiǎo lù yòu chū xiàn le

久，一条干干净净的小路又出现了。

tù gū niang shuō měi lì de xiǎo lù hǎo xiāng a

兔姑娘说：“美丽的小路好香啊！”

lù xiānsheng shuō měi lì de xiǎo lù hǎo liàng a

鹿先生说：“美丽的小路好亮啊！”

yā xiān sheng duì péng yǒu men shuō ràng měi lì de

鸭先生对朋友们说：“让美丽的

xiǎo lù yì zhí hé wǒ men zài yì qǐ ba

小路一直和我们在一起吧！”

先 鹿 慢 积 鼻 脑 袋

怪 推 辆 赶 久 干 净

先	先			干	干		
赶	赶			起	起		
明	明			净	净		

读读演演 朗读课文，再分角色演一演。

我会读

美丽的小路不见了。

美丽的小路怎么不见了？

我一定要把美丽的小路找回来！

我们周围的垃圾是从哪里来的呢？

这些垃圾到哪里去了呢？

我们一起去了解一下吧！

shī wù zhāo lǐng

12 失物招领

jīn tiān yī nián jí yī bān de tóng xué qù zhí wù yuán cān guān

　　今天，一年级一班的同学去植物园参观。

zhí wù yuán hěn dà hěn dà lǐ miàn de huā cǎo shù mù hěn duō hěn duō tóng xué men wéi zhe yuán lín gōng rén zhāng yé ye tīng tā jiè shào měi yì zhǒng huā cǎo shù mù tīng de kě zhuān xīn le

　　植物园很大很大，里面的花草树木很多很多。同学们围着园林工人张爷爷，听他介绍每一种花草树木，听得可专心了。

本文根据胡霜作品改写。

zhōng wǔ tóng xué men sān gè yì qún wǔ gè
中午，同学们三个一群，五个
yì huǒ zài cǎo dì shàng chī zì jǐ dài de wǔ fàn
一伙，在草地上吃自己带的午饭。

zhǔn bèi huí jiā le dà jiā pái hǎo duì táng
准备回家了，大家排好队，唐
lǎo shī yán sù de shuō tóng xué men gāng cái zhāng yé
老师严肃地说：“同学们，刚才张爷
ye jiǎn dào yì xiē dōng xi shì nǎ xiē tóng xué diū
爷捡到一些东西，是哪些同学丢
de qǐng dào wǒ zhè er lái rèn lǐng
的，请到我这儿来认领。”

sì shí shuāng yǎn jing zhēng de dà dà de sì
四十双眼睛睁得大大的，四
shí shuāng xiǎo shǒu zài gè zì de kǒu dai lǐ mō zhe
十双小手在各自的口袋里摸着。
bù yí huì er sì shí zhāng xiǎo zuǐ yì qí hǎn táng
不一会儿，四十张小嘴一齐喊：“唐
lǎo shī wǒ méi diū dōng xi
老师，我没丢东西！”

bù yǒu bù shǎo tóng xué diū dōng xi le
“不！有不少同学丢东西了。”
táng lǎo shī shuō wán jǔ qǐ yí gè tòu míng de sù
唐老师说完，举起一个透明的塑
liào dài dài lǐ zhuāng zhe yǐn liào guàn xiāng jiāo pí
料袋，袋里装着饮料罐、香蕉皮、
cān jīn zhǐ hái yǒu huā shēng ké zhè xiē dōng xi dōu
餐巾纸，还有花生壳。这些东西都
shì zhāng yé ye zài cǎo dì shàng jiǎn qǐ lái de
是张爷爷在草地上捡起来的。

kàn dào sù liào dài lǐ de dōng xi yǒu jǐ
看到塑料袋里的东西，有几
wèi tóng xué liǎn hóng le nà xiē dōng xi zhèng shì tā
位同学脸红了，那些东西正是他
men suí shǒu diū zài cǎo dì shàng de tā men yí gè
们随手丢在草地上的。他们一个
gè pǎo dào táng lǎo shī miàn qián lǐng huí le zì jǐ
个跑到唐老师面前，领回了自己
de shī wù xiàng bù yuǎn chù de guǒ pí xiāng zǒu qù
的“失物”，向不远处的果皮箱走去。

táng lǎo shī wàng wang zhāng yé ye zhāng yé ye
唐老师望望张爷爷，张爷爷
wàng wang táng lǎo shī fā chū le huì xīn de wēi xiào
望望唐老师，发出了会心的微笑。

我会认

失 级 同 观 围 工 专

准 备 队 才 请 双 各

我会写

同	同			工	工		
专	专			才	才		
级	级			队	队		

读一读

朗读课文。

读读比比

认（认真）　　准（准点）

队（少先队）　难（难题）

先（先进）　　备（备课）

失（失去）　　各（各自）

语文园地三

我的发现

取—趣　干—赶　方—仿　子—字(zì)

袋—代(dài)　活—舌(shé)　题—页(yè)　张—弓(gōng)

秋　秒(miǎo)　灯　炒(chǎo)

禾 火　禾 少　火 丁　火 少

我在识字时又有新发现！

字 代 舌 页 弓 秒 炒

日积月累

我会读

奇怪　聪明　活泼　冰凉　可口

准备　赶快　观看　包围　堆积

花花绿绿　干干净净　高高兴兴

读读背背

小鸟

小鸟，小鸟，
你轻轻地跳，
我栽的小树，
它还太小太小。

小鸟，小鸟，
你轻轻地跳，
可爱的小树，
它还在睡觉。

小鸟你轻轻地跳啊，
再轻一点儿，
好不好，
跳来跳去的小鸟。

口语交际

我们身边的垃(lā)圾(jī)

1 垃圾是从哪里来的？跟同学们交(jiāo)流一下你的发现。

2 怎么处[chǔ]理(lǐ)生活垃圾呢？说说你的想法(fǎ)。

3 小组(zǔ)合作，把你们的想法画一画。

展示台

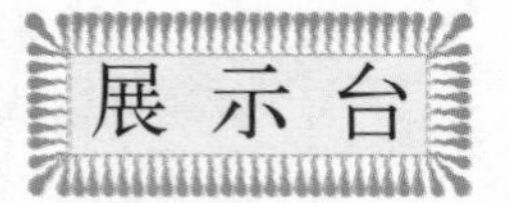

我在商店买东西的时候认识了很多字，还收集了一些食品商标呢！

xià tiān jiù yào dào le xià tiān lǐ huì
夏天就要到了。夏天里，会
fā shēng nǎ xiē yǒu qù de shì ne wǒ men yì
发生哪些有趣的事呢？我们一
qǐ qù kàn kan ba
起去看看吧！

识字 4

qīng tíng bàn kōng zhǎn chì fēi
蜻蜓半空展翅飞，
hú dié huā jiān zhuō mí cáng
蝴蝶花间捉迷藏。
qiū yǐn tǔ lǐ zào gōng diàn
蚯蚓土里造宫殿，
mǎ yǐ dì shàng yùn shí liáng
蚂蚁地上运食粮。
kē dǒu chí zhōng yóu de huān
蝌蚪池中游得欢，
zhī zhū fáng qián jié wǎng máng
蜘蛛房前结网忙。

蜻 蜓 展 蝴 蚯 蚓 蚂
蚁 运 蝌 蚪 蜘 蛛 网

蚂	蚂			蚁	蚁		
前	前			空	空		
房	房			网	网		

我要仔细看看蚂蚁是怎么生活的。

我还想多了解一些小动物呢！

13 gǔ shī liǎng shǒu 古诗两首

suǒ jiàn 所见

袁枚

mù tóng qí huáng niú
牧童骑黄牛，

gē shēng zhèn lín yuè
歌声振林樾。

yì yù bǔ míng chán
意欲捕鸣蝉，

hū rán bì kǒu lì
忽然闭口立。

xiǎo chí
小池

杨万里

quán yǎn wú shēng xī xì liú
泉眼无声惜细流，
shù yīn zhào shuǐ ài qíng róu
树阴照水爱晴柔。
xiǎo hé cái lù jiān jiān jiǎo
小荷才露尖尖角，
zǎo yǒu qīng tíng lì shàng tóu
早有蜻蜓立上头。

所 牧 捕 蝉 闭 立

池 惜 阴 晴 柔 露

诗	诗			林	林		
童	童			黄	黄		
闭	闭			立	立		

朗读课文。背诵课文。

所以　　所有　　可惜　　爱惜

晴空　　晴天　　柔和　　柔软

放牧　　牧草　　关闭　　闭路电视

14 荷叶圆圆

hé yè yuán yuán

hé yè yuán yuán de，lǜ lǜ de。
荷叶圆圆的，绿绿的。

xiǎo shuǐ zhū shuō：“hé yè shì wǒ de yáo lán。”
小水珠说：“荷叶是我的摇篮。”

xiǎo shuǐ zhū tǎng zài hé yè shàng，zhǎ zhe liàng jīng jīng de yǎn jing。
小水珠躺在荷叶上，眨着亮晶晶的眼睛。

xiǎo qīng tíng shuō：“hé yè shì wǒ de tíng jī píng。”xiǎo qīng tíng lì zài hé yè shàng，zhǎn kāi tòu míng de chì bǎng。
小蜻蜓说：“荷叶是我的停机坪。”小蜻蜓立在荷叶上，展开透明的翅膀。

xiǎo qīng wā shuō：“hé yè shì wǒ de gē
小青蛙说：“荷叶是我的歌

本文作者胡木仁。

tái　xiǎo qīng wā dūn zài hé yè shàng guā guā de
台。”小青蛙蹲在荷叶上，呱呱地
fàng shēng gē chàng
放声歌唱。

xiǎo yú er shuō　hé yè shì wǒ de liáng
　　小鱼儿说：“荷叶是我的凉
sǎn　xiǎo yú er zài hé yè xià xiào xī xī de yóu
伞。”小鱼儿在荷叶下笑嘻嘻地游
lái yóu qù　pěng qǐ yì duǒ duǒ hěn měi hěn měi de
来游去，捧起一朵朵很美很美的
shuǐ huā
水花。

荷　珠　摇　篮　晶　停
坪　透　翅　膀　蹲　嘻

是	是			朵	朵		
美	美			我	我		
叶	叶			机	机		

读读背背　朗读课文。背诵课文。

15 夏夜多美

xià yè duō měi

xià yè gōng yuán lǐ jìng qiāo qiāo de
夏夜，公园里静悄悄的。

shuǐ chí lǐ shuì lián gāng bì shàng yǎn jing jiù bèi wū wū de kū shēng jīng xǐng le tā zhēng kāi yǎn jing yí kàn shì yì zhī mǎ yǐ pā zài yì gēn shuǐ cǎo shàng shuì lián wèn xiǎo mǎ yǐ nǐ zěn me la
水池里，睡莲刚闭上眼睛，就被呜呜的哭声惊醒了。她睁开眼睛一看，是一只蚂蚁趴在一根水草上。睡莲问："小蚂蚁，你怎么啦？"

xiǎo mǎ yǐ shuō wǒ bù xiǎo xīn diào jìn chí táng shàng bù liǎo àn la
小蚂蚁说："我不小心掉进池塘，上不了岸啦！"

本文根据彭万洲作品改写。

kuài shàng lái ba shuì lián wān wan yāo ràng
"快上来吧!"睡莲弯弯腰,让

tā pá le shàng lái
他爬了上来。

xiǎo mǎ yǐ fēi cháng gǎn jī lián shēng shuō
小蚂蚁非常感激,连声说:

xiè xie nín shuì lián gū gu
"谢谢您,睡莲姑姑。"

shuì lián shuō jīn wǎn jiù zài zhè er zhù xià
睡莲说:"今晚就在这儿住下

ba nǐ qiáo xià yè duō měi a
吧!你瞧,夏夜多美啊!"

xiǎo mǎ yǐ yáo yao tóu shuō wǒ děi huí
小蚂蚁摇摇头,说:"我得回

jiā yào bù bà ba mā ma huì zháo jí de
家。要不,爸爸妈妈会着急的。"

tā men de huà ràng zhèng zài shuì lián yè shàng
他们的话让正在睡莲叶上

xiū xi de qīng tíng tīng jiàn le tā wèn shuì lián gū
休息的蜻蜓听见了。他问:"睡莲姑

gu yǒu shén me shì ma
姑,有什么事吗?"

xiǎo mǎ yǐ xiǎng huí jiā kě wǒ méi bàn fǎ
"小蚂蚁想回家,可我没办法

sòng tā
送他。"

qīng tíng shuō ràng wǒ lái sòng xiǎo mǎ yǐ ba
蜻蜓说:"让我来送小蚂蚁吧!"

shuì lián wèn tiān zhè me hēi nǐ néng xíng ma
睡莲问:“天这么黑,你能行吗?”

zhè shí yì zhī yíng huǒ chóng fēi lái le
这时,一只萤火虫飞来了,
shuō wǒ lái gěi nǐ men zhào liàng
说:“我来给你们照亮。”

xiǎo mǎ yǐ pá shàng fēi jī qīng tíng qǐ
小蚂蚁爬上“飞机”,蜻蜓起
fēi le yíng huǒ chóng zài qián miàn diǎn qǐ le liàng jīng
飞了。萤火虫在前面点起了亮晶
jīng de xiǎo dēng long
晶的小灯笼。

qīng tíng fēi ya fēi fēi guò qīng qīng de jiǎ
蜻蜓飞呀飞,飞过青青的假
shān fēi guò lǜ lǜ de cǎo píng fēi dào yí zuò huā
山,飞过绿绿的草坪,飞到一座花
tán qián xiǎo mǎ yǐ dào jiā le
坛前,小蚂蚁到家了。

xīng xing kàn jiàn le gāo xìng de zhǎ zhe yǎn
星星看见了,高兴地眨着眼。

à duō měi de xià yè ya
啊,多美的夏夜呀!

莲 哭 睁 趴 根 腰 爬

非 感 激 谢 急 时

她	她			他	他		
送	送			过	过		
时	时			让	让		

朗读课文。

青青的假山　　青青的________

绿绿的草坪　　绿绿的________

弯弯的小路　　弯弯的________

我要去观察美丽的夏夜，看看它美在哪里。

16 yào xià yǔ le
要下雨了

xiǎo bái tù wān zhe yāo zài shān pō shàng gē
小白兔弯着腰在山坡上割
cǎo tiān qì hěn mēn xiǎo bái tù zhí qǐ shēn zi
草。天气很闷，小白兔直起身子，
shēn le shēn yāo
伸了伸腰。

xiǎo yàn zi cóng tā tóu shàng fēi guò xiǎo bái
小燕子从他头上飞过。小白
tù dà shēng hǎn yàn zi yàn zi nǐ wèi shén me
兔大声喊：“燕子，燕子，你为什么
fēi de zhè me dī ya
飞得这么低呀？”

yàn zi biān fēi
燕子边飞
biān shuō yào xià yǔ
边说：“要下雨
le kōng qì hěn cháo shī
了。空气很潮湿，
chóng zi de chì bǎng zhān
虫子的翅膀沾
le xiǎo shuǐ zhū fēi bù
了小水珠，飞不
gāo wǒ zhèng máng zhe zhuō
高，我正忙着捉
chóng zi ne
虫子呢！”

本文根据罗亚作品改写。

shì yào xià yǔ
是要下雨
le ma xiǎo bái tù wǎng
了吗?小白兔往
qián biān chí zi lǐ yí
前边池子里一
kàn xiǎo yú dōu yóu dào
看,小鱼都游到
shuǐ miàn shàng lái le
水面上来了。

xiǎo bái tù pǎo guò qù wèn xiǎo yú xiǎo
yú jīn tiān zěn me yǒu kòng chū lái ya
小白兔跑过去,问:“小鱼,小鱼,今天怎么有空出来呀?”

xiǎo yú shuō yào xià yǔ le shuǐ lǐ mēn de
hěn wǒ men dào shuǐ miàn shàng lái tòu tou qì xiǎo bái
tù nǐ kuài huí jiā ba xiǎo xīn lín zháo yǔ
小鱼说:“要下雨了。水里闷得很,我们到水面上来透透气。小白兔,你快回家吧,小心淋着雨。”

xiǎo bái tù lián máng
kuà qǐ lán zi wǎng jiā
pǎo tā kàn jiàn lù biān
yǒu yí dà qún mǎ yǐ
小白兔连忙挎起篮子往家跑。他看见路边有一大群蚂蚁,

jiù bǎ yào xià yǔ de xiāo xi gào su le mǎ yǐ
就把要下雨的消息告诉了蚂蚁。
yì zhī dà mǎ yǐ shuō shì yào xià yǔ le wǒ
一只大蚂蚁说："是要下雨了，我
men zhèng máng zhe bān dōng xi ne
们正忙着搬东西呢！"

xiǎo bái tù jiā kuài bù zi wǎng jiā pǎo tā
小白兔加快步子往家跑。他
yì biān pǎo yì biān hǎn mā ma mā ma yào xià
一边跑一边喊："妈妈，妈妈，要下
yǔ le
雨了！"

hōng lōng lōng tiān kōng xiǎng qǐ le yí zhèn léi
轰隆隆，天空响起了一阵雷
shēng huā huā huā dà yǔ zhēn de xià qǐ lái le
声。哗，哗，哗，大雨真的下起来了！

坡 割 闷 伸 喊 潮

湿 虫 消 搬 阵 哗

吗	吗			吧	吧		
虫	虫			往	往		
得	得			很	很		

读读背背 朗读课文。背诵自己喜欢的部分。

读读说说

我们正忙着搬东西呢！

李老师正忙着改作业呢！

________正____________呢！

17 小壁虎借尾巴

小壁虎在墙角捉蚊子，一条蛇咬住了他的尾巴。小壁虎一挣，挣断尾巴逃走了。

没有尾巴多难看哪！小壁虎想，向谁去借一条尾巴呢？

小壁虎爬呀爬，爬到小河边。他看见小鱼摇着尾巴，在河里游来游去。小壁虎说："小鱼姐姐，您把尾巴借给我行吗？"小鱼说："不行啊，我要用尾巴拨水呢。"

本文作者林颂英。

小壁虎爬呀爬，爬到大树上。他看见老牛甩着尾巴，在树下吃草。小壁虎说："牛伯伯，您把尾巴借给我行吗？"老牛说："不行啊，我要用尾巴赶蝇子呢。"

小壁虎爬呀爬，爬到房檐下。他看见燕子摆着尾巴，在空中飞来飞去。小壁虎说："燕子阿姨，您把尾巴借给我行吗？"燕子说："不行啊，我要用尾巴掌握方向呢。"

小壁虎借不到尾巴，心里很难过。他爬呀爬，爬回家里找妈妈。

小壁虎把借尾巴的事告诉了妈妈。妈妈笑着说：“傻孩子，你转过身子看看。”小壁虎转身一看，高兴得叫了起来：“我长出一条新尾巴啦！”

我会认

壁 虎 借 蚊 蛇 逃 难 姐 新

我会写

河	河			姐	姐		
借	借			呢	呢		
呀	呀			哪	哪		

读一读

朗读课文。

读读说说

游来游去　飞来飞去　跑来跑去

跳来跳去　__来__去

我还知道别的动物尾巴的用处呢！

语文园地四

我的发现

月　膀 腰 肚 背

⻊　趴 蹲 跑 跳 路

目　睁 眼 睛 眠 睡 眨

　　　　　　　　cā chāo shí shuāi bō lán mō
扌　捕 摇 挤 搬 擦 抄 拾 摔 拨 拦 摸

我发现目字旁的字和眼睛有关。

我发现……

擦 抄 拾 摔 拨 拦 摸

小松鼠长着一条长长的尾巴。

听音乐是一件快乐的事。

望着窗外的大雨，奶奶心里很着急。

日积月累

美丽的夏夜　精彩的球赛

可口的松果　透明的翅膀

有趣的问题　闷热的天气

亮晶晶的眼睛　绿油油的荷叶

浪(làng)花

我坐在沙滩(tān)上玩耍。浪花看见了，迈(mài)着轻轻的步子走来，悄悄地搔(sāo)痒(yǎng)了我的小脚(jiǎo)丫(yā)。笑得我眼泪(lèi)都流出来了，它才哗哗哗地笑着跑回家。

一会儿，浪花又唱着笑着跑来了。这次它给我捧来雪白的贝(bèi)壳(ké)，青青的小虾(xiā)。我的小篮子都装不下啦。

哗哗哗，浪花跑去又跑来，像一群淘(táo)气的娃(wá)娃。

口语交际

xù jiǎng gù shi
续讲故事

把下面的故事讲完，再把自己讲的故事画一画。看谁讲得好，画得好。

小兔正在路上散步，小松鼠急急忙忙地向他走来……

展示台

我走在大街上，特别注意街道两边的招牌。这样也能认很多字呢！

yù dào kùn nan zěn me bàn dòng dong nǎo
遇到困难怎么办？动动脑
jīn yí dìng huì yǒu jiě jué de bàn fǎ
筋，一定会有解决的办法。

识字 5

yí gè rén liǎng gè rén
一个人， 两个人，
yí gè zài qián liǎng gè gēn
一个在前两个跟。
tuán jié qǐ lái lì liàng dà
团结起来力量大，
rén duō shuí yě bù lí qún
人多谁也不离群。

zuǒ biān lǜ yòu biān hóng
左边绿， 右边红，
zuǒ yòu xiāng yù qǐ liáng fēng
左右相遇起凉风。
lǜ de xǐ huan jí shí yǔ
绿的喜欢及时雨，
hóng de zuì pà shuǐ lái gōng
红的最怕水来攻。

yán lái hù xiāng zūn zhòng
“言”来互相尊重，

xīn zhì lìng rén gǎn dòng
“心”至令人感动，

rì chū wàn lǐ wú yún
“日”出万里无云，

shuǐ dào chún jìng tòu míng
“水”到纯净透明。

团 量 相 遇 及 怕

攻 互 尊 重 令 纯

谁	谁			怕	怕		
跟	跟			凉	凉		
量	量			最	最		

猜谜语真有趣。我们去找一些谜语，搞一次猜谜活动，好吗？

太好了！我还想自己编几个谜语呢。

sì gè tài yáng

18 四个太阳

wǒ huà le gè lǜ lǜ de tài yáng guà zài

我画了个绿绿的太阳，挂在

xià tiān de tiān kōng gāo shān tián yě jiē dào xiào

夏天的天空。高山、田野、街道、校

yuán dào chù yí piàn qīng liáng

园，到处一片清凉。

wǒ huà le gè jīn huáng de tài yáng sòng gěi

我画了个金黄的太阳，送给

qiū tiān guǒ yuán lǐ guǒ zi shú le jīn huáng de

秋天。果园里，果子熟了。金黄的

luò yè máng zhe yāo qǐng xiǎo huǒ bàn qǐng tā men cháng

落叶忙着邀请小伙伴，请他们尝

chang shuǐ guǒ de xiāng tián

尝水果的香甜。

本文根据夏辇生作品改写。

wǒ huà le gè hóng hóng de tài yáng zhào liàng
　　我画了个红红的太阳，照亮
dōng tiān yáng guāng wēn nuǎn zhe xiǎo péng yǒu dòng jiāng de
冬天。阳光温暖着小朋友冻僵的
shǒu hé liǎn
手和脸。

chūn tiān chūn tiān de tài yáng gāi huà shén me
　　春天，春天的太阳该画什么
yán sè ne ō huà gè cǎi sè de yīn wèi chūn
颜色呢？噢，画个彩色的。因为春
tiān shì gè duō cǎi de jì jié
天是个多彩的季节。

挂 街 熟 伙 伴 尝 甜

温 冻 脸 该 因 季

园	园			因	因		
为	为			脸	脸		
阳	阳			光	光		

读读背背　朗读课文。背诵课文。

wū yā hē shuǐ

19 乌鸦喝水

yì zhī wū yā kǒu
一只乌鸦口
kě le dào chù zhǎo shuǐ hē
渴了，到处找水喝。
wū yā kàn jiàn yí gè píng
乌鸦看见一个瓶
zi píng zi lǐ yǒu shuǐ
子，瓶子里有水。
kě shì píng zi lǐ shuǐ bù duō píng kǒu yòu xiǎo wū
可是，瓶子里水不多，瓶口又小，乌
yā hē bù zháo shuǐ zěn me bàn ne
鸦喝不着水。怎么办呢？

wū yā kàn jiàn páng biān yǒu xǔ duō xiǎo shí
乌鸦看见旁边有许多小石
zǐ xiǎng chū bàn fǎ lái le
子，想出办法来了。

wū yā bǎ xiǎo shí
乌鸦把小石
zǐ yí gè yí gè de fàng
子一个一个地放
jìn píng zi lǐ píng zi lǐ
进瓶子里。瓶子里
de shuǐ jiàn jiàn shēng gāo wū
的水渐渐升高，乌
yā jiù hē zháo shuǐ le
鸦就喝着水了。

我会认

乌 鸦 喝 渴 瓶 石 办 法 渐

我会写

可	可			石	石		
办	办			法	法		
找	找			许	许		

读读背背

朗读课文。背诵课文。

读读说说

瓶子里的水渐渐升高了。

天气渐渐热起来了。

________渐渐____________。

瓶子旁边要是没有小石子，乌鸦该怎么办呢？

20 司马光

sī mǎ guāng

司马光

gǔ shí hou yǒu gè

古时候有个

hái zi jiào sī mǎ guāng

孩子，叫司马光。

yǒu yì huí tā gēn

有一回，他跟

jǐ gè xiǎo péng yǒu zài huā

几个小朋友在花

yuán lǐ wán huā yuán lǐ yǒu

园里玩。花园里有

jiǎ shān jiǎ shān xià miàn yǒu yì kǒu dà shuǐ gāng gāng
假山，假山下面有一口大水缸，缸
lǐ zhuāng mǎn le shuǐ
里装满了水。

yǒu gè xiǎo péng yǒu pá dào jiǎ shān shàng qù
有个小朋友爬到假山上去
wán yí bù xiǎo xīn diào jìn le dà shuǐ gāng
玩，一不小心，掉进了大水缸。

bié de xiǎo péng yǒu dōu huāng le yǒu de xià
别的小朋友都慌了，有的吓
kū le yǒu de jiào zhe hǎn zhe pǎo qù zhǎo
哭了，有的叫着喊着，跑去找
dà rén
大人。

sī mǎ guāng méi yǒu huāng tā jǔ qǐ yí kuài
司马光没有慌，他举起一块
shí tou shǐ jìn zá nà kǒu gāng jǐ xià zi jiù bǎ
石头，使劲砸那口缸，几下子就把
gāng zá pò le
缸砸破了。

gāng lǐ de shuǐ liú chū lái le diào jìn gāng
缸里的水流出来了，掉进缸
lǐ de xiǎo péng yǒu dé jiù le
里的小朋友得救了。

司 假 缸 别 慌 吓 叫

块 使 劲 砸 破 救

别	别			到	到		
那	那			都	都		
吓	吓			叫	叫		

读读背背 朗读课文。背诵课文。

司　司机　公司　使　使用　使劲

慌　假　别　吓　叫　块

chēng xiàng

21 称象

gǔ shí hou yǒu gè dà guān jiào cáo cāo bié

古时候有个大官，叫曹操。别

rén sòng tā yì tóu dà xiàng tā hěn gāo xìng dài zhe ér

人送他一头大象，他很高兴，带着儿

zi hé guān yuán men yì tóng qù kàn

子和官员们一同去看。

dà xiàng yòu gāo yòu dà shēn zi xiàng yì dǔ

大象又高又大，身子像一堵

qiáng tuǐ xiàng sì gēn zhù zi guān yuán men yì biān kàn

墙，腿像四根柱子。官员们一边看

yì biān yì lùn xiàng zhè me dà dào dǐ yǒu duō

一边议论："象这么大，到底有多

zhòng ne

重呢？"

cáo cāo wèn shuí yǒu bàn fǎ bǎ zhè tóu dà

曹操问："谁有办法把这头大

xiàng chēng yì chēng yǒu de shuō děi zào yì gǎn dà

象称一称？"有的说："得造一杆大

chèng kǎn yì kē dà shù zuò chèng gǎn yǒu de shuō

秤，砍一棵大树做秤杆。"有的说：

yǒu le dà chèng yě bù chéng a shuí yǒu nà me dà

"有了大秤也不成啊，谁有那么大

de lì qi tí de qǐ zhè gǎn dà chèng ne yě yǒu

的力气提得起这杆大秤呢？"也有

de shuō bàn fǎ dào yǒu yí gè jiù shì bǎ dà xiàng
的说："办法倒有一个，就是把大象
zǎi le gē chéng yí kuài yí kuài de zài chēng cáo cāo
宰了，割成一块一块的再称。"曹操
tīng le zhí yáo tóu
听了直摇头。

cáo cāo de ér zi cáo chōng cái suì tā zhàn
曹操的儿子曹冲才7岁，他站
chū lái shuō wǒ yǒu gè bàn fǎ bǎ dà xiàng gǎn
出来，说："我有个办法。把大象赶
dào yì sōu dà chuánshàng kàn chuán shēn xià chén duō shǎo
到一艘大船上，看船身下沉多少，

jiù yán zhe shuǐ miàn zài chuán xián shàng huà yì tiáo xiàn
就沿着水面，在船舷上画一条线。

zài bǎ dà xiàng gǎn shàng àn wǎng chuán shàng zhuāng shí tou
再把大象赶上岸，往船上装石头，

zhuāng dào chuán xià chén dào huà xiàn de dì fang wéi zhǐ
装到船下沉到画线的地方为止。

rán hòu chēng yi chēng chuán shàng de shí tou shí tou yǒu
然后，称一称船上的石头。石头有

duō zhòng dà xiàng jiù yǒu duō zhòng
多重，大象就有多重。”

cáo cāo wēi xiào zhe diǎn dian tóu tā jiào rén
曹操微笑着点点头。他叫人

zhào cáo chōng shuō de bàn fǎ qù zuò guǒ rán chēng chū
照曹冲说的办法去做，果然称出

le dà xiàng de zhòng liàng
了大象的重量。

我再想想，还有没有更好的办法呢？

称 象 官 腿 柱 议 杆

秤 倒 艘 沉 止 微

再	再			象	象		
像	像			做	做		
点	点			照	照		

朗读课文。

官员们一边看一边议论。

我们一边唱歌一边跳舞。

____一边______一边______。

我要把这个故事讲给爸爸妈妈听。

语文园地五

我的发现

高—矮（ǎi）　　胖—瘦（shòu）

明—暗（àn）　　美—丑（chǒu）

忙—闲（xián）　　新—旧（jiù）

我喜欢用这种方法学汉字。

矮 瘦 暗 丑 闲 旧

打水　　打伞　　打电话

打鱼　　打球　　打个问号

日积月累

A a	B b	C c	D d	E e	F f	G g
H h	I i	J j	K k	L l	M m	N n
O o	P p	Q q		R r	S s	T t
U u	V v	W w		X x	Y y	Z z

人有两件宝(bǎo)

人有两件宝，
双手和大脑。
双手会做工，
大脑会思(sī)考(kǎo)。
用手不用脑，
事情做不好。

用脑不用手，
啥(shá)也办不到。
用手又用脑，
才能有创(chuàng)造(zào)。
一切(qiè)创造靠(kào)劳(láo)动，
劳动要用手和脑。

口语交际

cāi mí yóu xì
猜谜游戏

1 开始(shǐ)猜谜了，快把你准备的谜语说一说，看同学们能不能猜出来。

2 如果猜对了别人的谜语，说说你是怎么猜出来的。

展示台

我在数学书、美术书、音乐书上认了许多字。

是吗？我来考考你！

wǒ men shì xīn shí dài de ér tóng wǒ
我们是新时代的儿童，我
men shì zǔ guó de huā duǒ wǒ men de shēng huó
们是祖国的花朵。我们的生活
duō me xìng fú duō me kuài lè
多么幸福，多么快乐！

识字 6

yì zhī hǎi ōu yí piàn shā tān
一只海鸥，一片沙滩，
yì sōu jūn jiàn yì tiáo fān chuán
一艘军舰，一条帆船。

yì qí yāng miáo yí kuài dào tián
一畦秧苗，一块稻田，
yì fāng yú táng yí zuò guǒ yuán
一方鱼塘，一座果园。

yí dào xiǎo xī　yì kǒng shí qiáo
一道小溪，一孔石桥，
yì gān cuì zhú　yì qún fēi niǎo
一竿翠竹，一群飞鸟。

yí miàn duì qí　yì bǎ tóng hào
一面队旗，一把铜号，
yì qún hóng lǐng jīn　yí piàn huān xiào
一群“红领巾”，一片欢笑。

海 鸥 滩 军 舰 帆 秧
稻 塘 溪 竿 铜 号 领

沙	沙			海	海		
桥	桥			竹	竹		
军	军			苗	苗		

chī shuǐ bú wàng wā jǐng rén

22 吃水不忘挖井人

ruì jīn chéng wài yǒu gè xiǎo cūn zi jiào shā

瑞金城外有个小村子叫沙

zhōu bà máo zhǔ xí zài jiāng xī lǐng dǎo gé mìng de

洲坝。毛主席在江西领导革命的

shí hou zài nà er zhù guò

时候，在那儿住过。

cūn zi lǐ méi yǒu jǐng chī shuǐ yào dào hěn

村子里没有井，吃水要到很

yuǎn de dì fang qù tiāo máo zhǔ xí jiù dài lǐng zhàn

远的地方去挑。毛主席就带领战

shì hé xiāng qīn men wā le yì kǒu jǐng

士和乡亲们挖了一口井。

jiě fàng yǐ hòu

解放以后，

xiāng qīn men zài jǐng páng

乡亲们在井旁

biān lì le yí kuài shí

边立了一块石

bēi shàng miàn kè zhe

碑，上面刻着：

chī shuǐ bú wàng wā jǐng

“吃水不忘挖井

rén shí kè xiǎng niàn máo

人，时刻想念毛

zhǔ xí

主席。”

忘 挖 井 席 导 革

命 战 士 解 刻 念

井	井			乡	乡		
面	面			忘	忘		
想	想			念	念		

朗读课文。

井台　井口　井水　领导　导游

革命　生命　救命　主席　凉席

想念　挂念　念书　时刻　立刻

23 王二小

wáng èr xiǎo

王二小是儿童团员。他常常一边放牛，一边帮助八路军放哨。

wáng èr xiǎo shì ér tóng tuán yuán tā cháng cháng yì biān fàng niú yì biān bāng zhù bā lù jūn fàng shào

有一天，敌人来扫荡，走到山口迷了路。敌人看见王二小在山坡上放牛，就叫他带路。王二小

yǒu yì tiān dí rén lái sǎo dàng zǒu dào shān kǒu mí le lù dí rén kàn jiàn wáng èr xiǎo zài shān pō shàng fàng niú jiù jiào tā dài lù wáng èr xiǎo

zhuāng zhe shùn cóng de yàng zi zǒu zài qián miàn bǎ dí
装着顺从的样子走在前面，把敌
rén dài jìn le bā lù jūn de mái fú quān
人带进了八路军的埋伏圈。

tū rán sì miàn bā fāng xiǎng qǐ le qiāng shēng
突然，四面八方响起了枪声。
dí rén zhī dào shàng le dàng jiù shā hài le xiǎo yīng
敌人知道上了当，就杀害了小英
xióng wáng èr xiǎo
雄王二小。

zhèng zài zhè shí hou bā lù jūn cóng shān shàng
正在这时候，八路军从山上
chōng xià lái xiāo miè le quán bù dí rén
冲下来，消灭了全部敌人。

王 助 哨 敌 荡 顺 突

枪 杀 害 英 雄 冲 部

王	王			从	从		
边	边			这	这		
进	进			道	道		

朗读课文。

王二小把敌人带进了埋伏圈。

敌人被王二小带进了埋伏圈。

我们一起唱《歌唱二小放牛郎》这首歌吧！

24 画家乡

huà jiā xiāng

hái zi men ài jiā xiāng yě ài huà zì jǐ
孩子们爱家乡，也爱画自己
měi lì de jiā xiāng
美丽的家乡。

tāo tao de jiā xiāng zài hǎi biān tā huà de
涛涛的家乡在海边。他画的
hǎi nà me lán nà me kuān yì sōu sōu chuán shàng zhuāng
海那么蓝，那么宽。一艘艘船上装
mǎn le yú hé xiā nà gè zài hǎi tān shàng chì zhe
满了鱼和虾。那个在海滩上赤着
jiǎo jiǎn bèi ké de hái zi jiù shì tāo tao
脚捡贝壳的孩子，就是涛涛。

本文根据冯寿鹤作品改写。

shān shan de jiā xiāng zài shān lǐ tā huà de
山山的家乡在山里。他画的
shān nà me gāo shuǐ nà me qīng fáng qián wū hòu dōu
山那么高，水那么清。房前屋后都
shì yòu gāo yòu dà de shù huà shàng de shān shan tí
是又高又大的树。画上的山山，提
zhe xiǎo zhú lán zhèng yào dào shù lín lǐ qù cǎi mó
着小竹篮，正要到树林里去采蘑
gu ne
菇呢。

píng ping de jiā xiāng zài píng yuán tā huà de
平平的家乡在平原。她画的

píng yuán nà me píng tǎn nà me kuān guǎng yǒu jīn huáng
平原那么平坦，那么宽广。有金黄
de dào zi xuě bái de mián hua hái yǒu yí dà piàn
的稻子，雪白的棉花，还有一大片
yí dà piàn bì lǜ de cài dì wū qián yǒu jī yā
一大片碧绿的菜地。屋前有鸡、鸭，
wū hòu yǒu cuì zhú zhèng zài tián yě shàng bēn pǎo de xiǎo
屋后有翠竹。正在田野上奔跑的小
nǚ hái jiù shì píng ping
女孩就是平平。

qīng qing de jiā xiāng zài cǎo yuán tā huà de
青青的家乡在草原。她画的
cǎo yuán yì yǎn wàng bú dào biān cǎo zhǎng de yòu lǜ
草原一眼望不到边。草长得又绿
yòu mì yáng qún zài cǎo yuán shàng zǒu lái zǒu qù yì
又密，羊群在草原上走来走去。一
pǐ jùn mǎ cóng yuǎn chù bēn lái qīng qing zhèng qí zài
匹骏马从远处奔来，青青正骑在
mǎ shàng gǎn zhe yáng qún
马上赶着羊群。

jīng jing de jiā xiāng zài chéng shì tā huà de
京京的家乡在城市。他画的
chéng shì nà me měi kuān kuān de jiē dào gāo gāo
城市那么美。宽宽的街道，高高
de lóu fáng hái yǒu yí zuò zuò jiē xīn gōng yuán nà
的楼房，还有一座座街心公园。那
gè zhèng pǎo xiàng kē jì guǎn de xiǎo nán hái jiù shì
个正跑向科技馆的小男孩，就是
jīng jing
京京。

xiǎo péng yǒu nǐ de jiā xiāng yě yí dìng hěn
小朋友，你的家乡也一定很
měi qǐng nǐ huà chū lái ba
美，请你画出来吧！

该怎么画我的家乡呢？

宽 虾 脚 捡 贝 壳

原 奔 密 匹 市 楼

贝	贝			原	原		
男	男			爱	爱		
虾	虾			跑	跑		

朗读课文。背诵自己喜欢的部分。

他画的海那么蓝，那么宽。

他画的平原那么平坦，那么宽广。

______那么________，那么________。

25 快乐的节日

kuài lè de jié rì

xiǎo niǎo zài qián miàn dài lù
小鸟在前面带路，
fēng er chuī zhe wǒ men
风儿吹着我们。
wǒ men xiàng chūn tiān yí yàng
我们像春天一样，
lái dào huā yuán lǐ
来到花园里，
lái dào cǎo dì shàng
来到草地上。
xiān yàn de hóng lǐng jīn
鲜艳的红领巾，
měi lì de yī shang
美丽的衣裳，
xiàng duǒ duǒ huā er kāi fàng
像朵朵花儿开放。

huā er xiàng wǒ men diǎn tóu
花儿向我们点头，
xiǎo xī huān kuài de liú tǎng
小溪欢快地流淌。
tā men xiàng wǒ men zhù hè
它们向我们祝贺，
wèi wǒ men gē chàng
为我们歌唱。

本文根据管桦作品改写。

tā men hǎo xiàng zài shuō
它们好像在说，
zhè gè shì jiè shàng
这个世界上，
yǒu wǒ men jiù gèng jiā měi lì
有我们就更加美丽，
yǒu wǒ men jiù chōng mǎn xī wàng
有我们就充满希望。

gǎn xiè qīn ài de zǔ guó
感谢亲爱的祖国，
ràng wǒ men zì yóu de chéng zhǎng
让我们自由地成长。
wǒ men xiàng xiǎo niǎo yí yàng
我们像小鸟一样，

děng shēn shàng de yǔ máo zhǎng de fēng mǎn
等身上的羽毛长得丰满，
jiù yǒng gǎn de xiàng zhe tiān kōng fēi xiáng
就勇敢地向着天空飞翔，
fēi xiàng wǒ men de lǐ xiǎng
飞向我们的理想。

chàng a tiào wa
唱啊，跳哇，
jìng ài de lǎo shī
敬爱的老师，
qīn ài de huǒ bàn
亲爱的伙伴，
wǒ men yì qǐ dù guò zhè kuài lè de shí guāng
我们一起度过这快乐的时光。

吹 祝 贺 希 祖 国 由

羽 丰 勇 敢 理 敬 度

吹	吹			地	地		
快	快			乐	乐		
老	老			师	师		

朗读课文。背诵课文。

读读说说

祝　祝愿　祝贺　______

国　国王　国家　______

理　道理　合理　______

度　度过　欢度　______

我们一起唱这首歌吧！

语文园地六

我的发现

chǎng
鸟—乌　令—今　广—厂

日—白　田　目　电　旦　旧　由

jiǎ　　　　shēn
甲（甲鱼）　申（申请）

口—只　古　石　右　另　可　加　叶　号

jù　　　　xiōng
句（句子）　兄（兄弟）

这样认字真有趣！

厂　甲　申　句　兄

日积月累

我会读

团结　尊重　停止　议论

英雄　理想　办法　街道

勇敢　感动　慌张　顺心

我会连

读读背背

祖国多么广大

大兴[xīng]安岭(lǐng)，
雪花还在飞舞。
长江两岸，
柳枝已经发芽。
海南岛(dǎo)上，
到处盛(shèng)开着鲜花。
我们的祖国多么广大。

口语交际

怎么过“六一”儿童节

1 上幼(yòu)儿园的时候(hòu)，你是怎么过“六一”儿童节的？跟同学交(jiāo)流交流。

2 小学的第(dì)一个“六一”儿童节，你们打算(suàn)怎么过？讨(tǎo)论讨论，然后把想法告诉老师。

展示台

我很喜欢读课外书，在书上认了许多字，我们交流一下，好吗？

看谁先从字典(diǎn)里找到这几页。

20　187　206　395

看谁先从字典里查(chá)出下面的字。

kuān	xī	wǎng	jiě	zhǔn	lóu
宽	溪	往	解	准	楼

nǐ ài láo dòng wǒ ài jí tǐ tā
你爱劳动，我爱集体，他
hěn chéng shí wǒ men dōu yǒu hǎo pǐn zhì wǒ
很诚实。我们都有好品质。我
men dōu shì hǎo hái zi
们都是好孩子。

识字 7

shì duì fēi
是对非，
cháng duì duǎn
长对短。
xū xīn duì jiāo ào
虚心对骄傲，
rè qíng duì lěng dàn
热情对冷淡。
chéng shí yíng dé qiān jiā zàn
诚实赢得千家赞，
xū wěi zhāo lái wàn hù xián
虚伪招来万户嫌。

虚 骄 傲 淡 诚 实 赢 赞 招

短	短			对	对		
冷	冷			淡	淡		
热	热			情	情		

取人之(zhī)长，补(bǔ)己之短。

虚心使人进步，骄傲使人落后。

26 小白兔和小灰兔

xiǎo bái tù hé xiǎo huī tù

lǎo shān yáng zài dì lǐ shōu bái cài xiǎo bái
老山羊在地里收白菜，小白
tù hé xiǎo huī tù lái bāng máng
兔和小灰兔来帮忙。

shōu wán bái cài lǎo shān yáng bǎ yì chē bái
收完白菜，老山羊把一车白
cài sòng gěi xiǎo huī tù xiǎo huī tù shōu xià le
菜送给小灰兔。小灰兔收下了，
shuō xiè xie nín
说：“谢谢您！”

lǎo shān yáng yòu bǎ yì chē bái cài sòng gěi
老山羊又把一车白菜送给
xiǎo bái tù xiǎo bái tù shuō wǒ bú yào bái cài
小白兔。小白兔说：“我不要白菜，
qǐng nín gěi wǒ yì xiē cài zǐ ba lǎo shān yáng sòng
请您给我一些菜子吧。”老山羊送

gěi xiǎo bái tù yì bāo
给小白兔一包
cài zǐ
菜子。

xiǎo bái tù huí
小白兔回
dào jiā lǐ bǎ dì fān
到家里，把地翻
sōng le zhòng shàng cài zǐ
松了，种上菜子。

guò le jǐ tiān bái cài zhǎng chū lái le
过了几天，白菜长出来了。
xiǎo bái tù chángcháng gěi bái cài jiāo shuǐ shī féi
小白兔常常给白菜浇水，施肥，
bá cǎo zhuō chóng bái cài hěn kuài jiù zhǎng dà le
拔草，捉虫。白菜很快就长大了。

xiǎo huī tù bǎ
小灰兔把
yì chē bái cài lā huí
一车白菜拉回
jiā lǐ tā bú gàn
家里。他不干
huó le è le jiù
活了，饿了就
chī lǎo shān yáng sòng de
吃老山羊送的
bái cài
白菜。

guò le xiē rì zi xiǎo huī tù bǎ bái cài
过了些日子，小灰兔把白菜

chī wán le yòu dào lǎo shān yáng jiā lǐ qù yào bái cài
吃完了，又到老山羊家里去要白菜。

zhè shí hou tā kàn jiàn xiǎo bái tù tiāo zhe
这时候，他看见小白兔挑着

yí dàn bái cài gěi lǎo shān yáng sòng lái le xiǎo huī
一担白菜，给老山羊送来了。小灰

tù hěn qí guài wèn dào xiǎo bái tù nǐ de cài
兔很奇怪，问道：“小白兔，你的菜

shì nǎ er lái de
是哪儿来的？”

xiǎo bái tù shuō shì wǒ zì jǐ zhòng de
小白兔说：“是我自己种的。

zhǐ yǒu zì jǐ zhòng cái yǒu chī bù wán de cài
只有自己种，才有吃不完的菜。”

我会认

翻 浇 施 肥 饿 候 挑 担

我会写

拉	拉				把	把			
给	给				活	活			
种	种				吃	吃			

读一读

朗读课文。

读读说说

把地翻松　　　　把白菜吃完

把窗户打开　　　　＿＿＿＿＿＿

liǎng zhī xiǎo shī zi

27 两只小狮子

shī zi mā ma shēng xià le liǎng zhī xiǎo shī zi
狮子妈妈生下了两只小狮子。

yì zhī xiǎo shī zi zhěng tiān liàn xí gǔn pū
一只小狮子整天练习滚、扑、
sī yǎo fēi cháng kè kǔ lìng yì zhī què lǎn yáng
撕、咬，非常刻苦。另一只却懒洋
yáng de shài tài yáng shén me yě bú gàn
洋地晒太阳，什么也不干。

yì kē xiǎo shù wèn lǎn shī zi nǐ zěn me
一棵小树问懒狮子：“你怎么
bù xué diǎn er běn lǐng a
不学点儿本领啊？”

lǎn shī zi tái qǐ tóu lái màn tūn tūn de
懒狮子抬起头来，慢吞吞地
shuō wǒ cái bú qù chī nà kǔ tóu ne
说：“我才不去吃那苦头呢！”

xiǎo shù shuō nà nǐ yǐ hòu zěn yàng shēng huó
小树说："那你以后怎样生活

ne
呢？"

lǎn shī zi shuō wǒ bà ba hé mā ma shì
懒狮子说："我爸爸和妈妈是

lín zhōng de dà wáng píng zhe tā men de dì wèi wǒ
林中的大王，凭着他们的地位，我

huì shēng huó de hěn hǎo
会生活得很好！"

zhè huà bèi shī zi mā ma tīng dào le tā duì
这话被狮子妈妈听到了，她对

lǎn shī zi shuō hái zi jiāng lái wǒ men lǎo le bú
懒狮子说："孩子，将来我们老了，不

zài le nǐ kào shuí ne nǐ yě yīng gāi xué huì shēng
在了，你靠谁呢？你也应该学会生

huó de běn lǐng zuò yì zhī zhēn zhèng de shī zi
活的本领，做一只真正的狮子！"

狮 整 练 习 滚 扑 咬

苦 懒 洋 吞 将 靠 应

练	练			习	习		
苦	苦			学	学		
非	非			常	常		

朗读课文。

懒洋洋地晒太阳　　懒洋洋地________

慢吞吞地说　　慢吞吞地________

兴冲冲地走进来　　兴冲冲地________

xiǎo huǒ bàn
28 小伙伴

chūn yóu nà tiān dào le zhōng wǔ xiǎo huǒ bàn men dōu zài chī wǔ cān zhǐ yǒu mǎ shā zhàn zài yì páng
春游那天，到了中午，小伙伴们都在吃午餐，只有玛莎站在一旁。

wéi jiā wèn tā nǐ zěn me bù chī ya
维加问她：“你怎么不吃呀？”

mǎ shā shuō wǒ bǎ bèi bāo diū le lǐ miàn zhuāng zhe miàn bāo hé kuàng quán shuǐ
玛莎说：“我把背包丢了，里面装着面包和矿泉水……”

wéi jiā yì biān dà kǒu de chī zhe miàn bāo yì biān shuō zhēn zāo gāo lí huí dào jiā hái yǒu hǎo cháng shí jiān ne
维加一边大口地吃着面包，一边说：“真糟糕！离回到家还有好长时间呢！”

ān nà shuō nǐ bǎ bèi bāo diū zài nǎ er le zhēn cū xīn
安娜说：“你把背包丢在哪儿了？真粗心！”

mǎ shā xiǎo shēng de shuō wǒ yě bù zhī dào shuō zhe dī xià le tóu
玛莎小声地说：“我也不知道。”说着，低下了头。

本文作者瓦·奥谢叶娃。

ān nà yòu shuō nǐ dà gài shì diū zài gōng
安娜又说:“你大概是丢在公
gòng qì chē shàng wàng jì ná le yǐ hòu kě yào bǎo
共汽车上,忘记拿了。以后可要保
guǎn hǎo zì jǐ de dōng xi
管好自己的东西。”

zhè shí ān dōng zǒu dào mǎ shā gēn qián shén
这时,安东走到玛莎跟前,什
me yě méi shuō bǎ jiā zhe huáng yóu de miàn bāo bāi
么也没说,把夹着黄油的面包掰
chéng liǎng bàn bǎ dà yì diǎn er de fàng dào mǎ shā
成两半,把大一点儿的放到玛莎
shǒu lǐ shuō gǎn kuài chī ba
手里,说:“赶快吃吧。”

餐 丢 矿 糟 糕 粗 概

共 汽 记 保 管 夹

问	问			间	间		
伙	伙			伴	伴		
共	共			汽	汽		

朗读课文。

丢失　　粗心　　忘记　　矿泉水

共同　　保密　　记得　　餐巾纸

shǒu pěng kōng huā pén de hái zi

29 手捧空花盆的孩子

hěn jiǔ yǐ qián yǒu wèi guó wáng yào tiāo xuǎn

很久以前，有位国王要挑选

yí gè chéng shí de hái zi zuò jì chéng rén guó wáng

一个诚实的孩子做继承人。国王

fēn fù dà chén gěi quán guó de měi gè hái zi fā

吩咐大臣给全国的每个孩子发

yì xiē huā zhǒng bìng xuān bù shuí néng yòng zhè xiē zhǒng

一些花种，并宣布：谁能用这些种

zi péi yù chū zuì měi de huā shuí jiù shì tā de

子培育出最美的花，谁就是他的

jì chéng rén

继承人。

yǒu gè jiào xióng rì de hái zi tā shí fēn

有个叫雄日的孩子，他十分

yòng xīn de péi yù huā zhǒng shí tiān guò qù le yí

用心地培育花种。十天过去了，一

gè yuè guò qù le huā pén lǐ de zhǒng zi què bú

个月过去了，花盆里的种子却不

jiàn fā yá xióng rì yòu gěi zhǒng zi shī le xiē féi

见发芽。雄日又给种子施了些肥，

jiāo le diǎn shuǐ tā tiān tiān kàn a kàn a zhǒng zi

浇了点水。他天天看啊，看啊，种子

jiù shì bù fā yá

就是不发芽。

本文作者赵华昌。

guó wáng guī dìng de rì zi dào le xǔ xǔ
国王规定的日子到了。许许
duō duō de hái zi pěng zhe shèng kāi zhe xiān huā de
多多的孩子捧着盛开着鲜花的
huā pén yōng shàng jiē tóu guó wáng cóng hái zi men de
花盆拥上街头。国王从孩子们的
miàn qián zǒu guò kàn zhe yì pén pén xiān huā liǎn shàng
面前走过，看着一盆盆鲜花，脸上
méi yǒu yì sī gāo xìng de biǎo qíng tū rán guó wáng
没有一丝高兴的表情。突然，国王
kàn jiàn le shǒu pěng kōng huā pén de xióng rì tā tíng
看见了手捧空花盆的雄日。他停
xià lái wèn nǐ zěn me pěng zhe kōng huā pén ne
下来问："你怎么捧着空花盆呢？"
xióng rì bǎ huā zhǒng bù fā yá de jīng guò gào su
雄日把花种不发芽的经过告诉
le guó wáng guó wáng tīng le gāo xìng de lā zhe tā
了国王。国王听了，高兴地拉着他

de shǒu shuō nǐ jiù shì wǒ de jì chéng rén
的手，说：“你就是我的继承人！”

hái zi men wèn guó wáng wèi shén me nín ràng
孩子们问国王：“为什么您让

tā zuò jì chéng rén ne guó wáng shuō wǒ fā gěi
他做继承人呢？”国王说：“我发给

nǐ men de huā zhǒng dōu shì zhǔ shú le de zhè yàng
你们的花种都是煮熟了的，这样

de zhǒng zi néng péi yù chū měi lì de xiān huā ma
的种子能培育出美丽的鲜花吗？”

国王为什么要选雄日做继承人呢？

盆 位 选 并 宣 分

芽 规 盛 丝 表 煮

分	分			要	要		
没	没			位	位		
孩	孩			选	选		

朗读课文。

他十分用心地培育花种。

他十分高兴地来到校园里。

“十分”可以换成什么词？

语文园地七

我的发现

饣 饿 饼(bǐng) 饮(yǐn) 饺(jiǎo)

犭 猴 猫 狗 狮 猪(zhū) 狼(láng)

饼 饮 饺 猪 狼

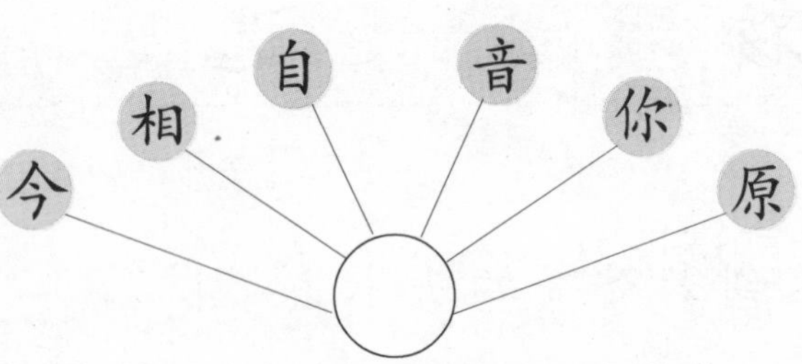

填一个字，就能变出很多字呢！

日积月累

只有自己种，才有吃不完的菜。

自己学会生活的本领，才能成为真正的狮子。

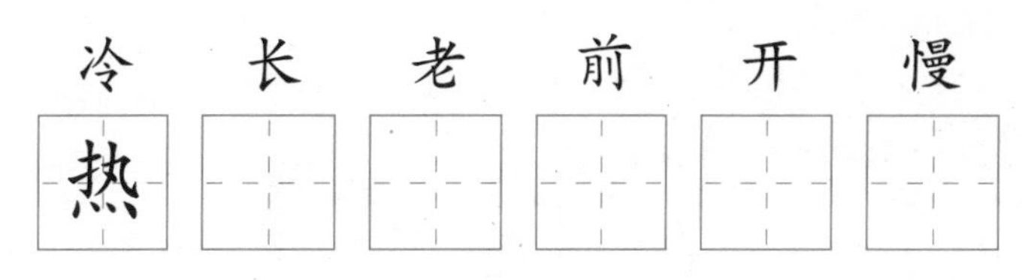

小雨点儿

无数雨点儿被风吹着，快要落到地上了。

一串(chuàn)小雨点儿看着一位叔叔手推车上的面粉(fěn)袋，焦(jiāo)急地说："我要落到面粉袋上了！"另一串小雨点儿瞧(qiáo)着一位白发[fà]苍(cāng)苍的老人，不安地说："我要落到老爷爷的头上去了！"

这时，一群小朋友从学校里出来。一个穿雨衣的男孩，连忙把雨衣盖在面粉袋上。一个打雨伞的女孩，赶紧(jǐn)跑过去把雨伞递(dì)给老爷爷，她跟老爷爷合用一把伞。

滴答[dā]！滴答！小雨点儿放心地掉下来，落到了雨衣上，雨伞上。

口语交际

该怎么做

小松不小心把家里的花瓶打碎(suì)了。

小松如实地告诉了爸爸，却被爸爸打了一顿(dùn)。

如果我遇到这种事情，该怎么做呢？

1 说一说自己的想法。

2 评一评谁的做法好。

我们大家来比一比，看谁课外认的字最多。

王 禾 木 门 虫 又

口 朱 木 下 寸 里

我会用这些字组成新字：“王”和“里”可以组成“理”……

我会用这些字组词：“天空”“上学”……

大	空	军
天	生	上
海	气	学

wǒ men shēn biān chù chù yǒu kē xué ràng
我们身边处处有科学，让
wǒ men yì qǐ qù tàn suǒ qù fā xiàn
我们一起去探索，去发现。

识字 8

chū sān chū sì é méi yuè
初三初四娥眉月，
shí wǔ shí liù yuè tuán yuán
十五十六月团圆。

zhāo kàn tài yáng biàn xī dōng
朝看太阳辨西东，
yè wàng běi dǒu zhī běi nán
夜望北斗知北南。

qīng tíng dī fēi jiāng hú pàn
蜻蜓低飞江湖畔，
jí jiāng yǒu yǔ zài yǎn qián
即将有雨在眼前。

dà yàn běi fēi tiān jiāng nuǎn
大雁北飞天将暖，
yàn zi nán guī qì zhuǎn hán
燕子南归气转寒。

yì cháng qiū yǔ yì cháng hán
一场秋雨一场寒，
shí cháng qiū yǔ yào chuān mián
十场秋雨要穿棉。

初 眉 辨 斗 湖

即 雁 归 转 寒

北	北			南	南		
江	江			湖	湖		
秋	秋						

我还知道别的谚语呢！

mián hua gū niang

30 棉花姑娘

mián hua gū niang shēng bìng le yè zi shàng yǒu

棉花姑娘生病了，叶子上有

xǔ duō kě wù de yá chóng tā duō me pàn wàng yǒu

许多可恶的蚜虫。她多么盼望有

yī shēng lái gěi tā zhì bìng a

医生来给她治病啊！

yàn zi fēi lái le mián hua gū niang shuō

燕子飞来了。棉花姑娘说：

qǐng nǐ bāng wǒ zhuō hài chóng ba yàn zi shuō duì

“请你帮我捉害虫吧！”燕子说：“对

bù qǐ wǒ zhǐ huì zhuō kōng zhōng fēi de hài chóng nǐ

不起，我只会捉空中飞的害虫，你

hái shì qǐng bié rén bāng máng ba

还是请别人帮忙吧！”

zhuó mù niǎo fēi lái le mián hua gū niang shuō

啄木鸟飞来了。棉花姑娘说：

qǐng nǐ bāng wǒ zhuō hài chóng ba zhuó mù niǎo shuō

“请你帮我捉害虫吧！”啄木鸟说：

duì bù qǐ wǒ zhǐ huì zhuō shù gàn lǐ de hài
“对不起，我只会捉树干里的害
chóng nǐ hái shì qǐng bié rén bāng máng ba
虫，你还是请别人帮忙吧！”

qīng wā tiào lái le mián hua gū niang gāo xìng
青蛙跳来了。棉花姑娘高兴
de shuō qǐng nǐ bāng wǒ zhuō hài chóng ba qīng wā
地说：“请你帮我捉害虫吧！”青蛙
shuō duì bù qǐ wǒ zhǐ huì zhuō tián lǐ de hài
说：“对不起，我只会捉田里的害
chóng nǐ hái shì qǐng bié rén bāng máng ba
虫，你还是请别人帮忙吧！”

hū rán yì qún yuán yuán de xiǎo chóng fēi lái
忽然，一群圆圆的小虫飞来
le hěn kuài jiù bǎ yá chóng chī guāng le mián hua gū
了，很快就把蚜虫吃光了。棉花姑
niang jīng qí de wèn nǐ men shì shuí ya xiǎo chóng
娘惊奇地问：“你们是谁呀？”小虫
shuō wǒ men shēn shàng yǒu qī gè bān diǎn jiù xiàng qī
说：“我们身上有七个斑点，就像七

kē xīng xing dà jiā dōu jiào wǒ men qī xīng piáo chóng
颗星星，大家都叫我们七星瓢虫。”

bù jiǔ mián hua gū niang de bìng hǎo le zhǎng
不久，棉花姑娘的病好了，长

chū le bì lǜ bì lǜ de yè zi tǔ chū le xuě
出了碧绿碧绿的叶子，吐出了雪

bái xuě bái de mián hua tā liě kāi zuǐ xiào la
白雪白的棉花。她咧开嘴笑啦！

我会认

姑 娘 蚜 盼 治 啄 斑

我会写

只	只			星	星		
雪	雪			帮	帮		
请	请			就	就		

读读演演 朗读课文，再分角色演一演。

读读说说 碧绿碧绿的叶子　碧绿碧绿的________

雪白雪白的棉花　雪白雪白的________

31 dì qiú yé ye de shǒu
地球爷爷的手

xiǎo hóu hé xiǎo tù shì hǎo péng yǒu
小猴和小兔是好朋友。

yì tiān tā liǎ zài shù xià wán tiào a
一天，他俩在树下玩，跳啊，
chàng a zhēn gāo xìng wán le yí huì er xiǎo hóu
唱啊，真高兴！玩了一会儿，小猴
shuō xiǎo tù wǒ qǐng nǐ chī táo zi ba
说：“小兔，我请你吃桃子吧。”

shì a shù shàng de táo zi yòu dà yòu hóng
是啊，树上的桃子又大又红，
yí dìng hěn hǎo chī
一定很好吃。

xiǎo hóu duì zhèng zài shù shàng de hóu bà ba
小猴对正在树上的猴爸爸
shuō bà ba qǐng nín gěi wǒ men zhāi jǐ gè táo
说：“爸爸，请您给我们摘几个桃
zi hǎo ma
子，好吗？”

hóu bà ba hái méi yǒu huí dá yě méi yǒu
猴爸爸还没有回答，也没有
dòng shǒu zhǐ jiàn jǐ gè táo zi zì jǐ cóng shù shàng
动手，只见几个桃子自己从树上
diào le xià lái
掉了下来。

本文根据阳光作品改写。

xiǎo tù shuō hóu
小兔说：“猴

bó bo xiè xie nín
伯伯，谢谢您！”

hóu bà ba xiào
猴爸爸笑

zhe shuō bié xiè wǒ
着说：“别谢我，

zhè shì dì qiú yé ye
这是地球爷爷

bāng de máng
帮的忙。”

xiǎo hóu jué de
小猴觉得

hěn qí guài dì qiú yé ye zěn me bāng máng a
很奇怪：“地球爷爷怎么帮忙啊？”

xiǎo tù yě shuō shì ya dì qiú yé ye
小兔也说：“是呀，地球爷爷

zěn me bāng máng ne tā yòu méi yǒu shǒu
怎么帮忙呢？他又没有手。”

dì qiú yé ye shuō huà le bù wǒ yǒu
地球爷爷说话了：“不，我有

shǒu ér qiě yǒu hěn dà hěn dà de lì qi néng ràng
手，而且有很大很大的力气，能让

chéng shú de táo zi diào xià lái néng ràng tī dào bàn
成熟的桃子掉下来，能让踢到半

kōng de zú qiú diào xià lái wǒ de shǒu jiù shì
空的足球掉下来……我的手，就是

nǐ men kàn bú jiàn de dì xīn yǐn lì
你们看不见的地心引力。”

dì qiú yé ye de huà gāng shuō wán jǐ gè
地球爷爷的话刚说完，几个
táo zi yòu cóng shù shàng diào le xià lái
桃子又从树上掉了下来。

我还能举出例子说明地球爷爷是有手的。

俩 摘 伯 而 且 踢 引

球	球			玩	玩		
跳	跳			桃	桃		
树	树			刚	刚		

朗读课文。

lán lan guò qiáo

32 兰兰过桥

lán lan de yé ye shì qiáo liáng gōng chéng shī

兰兰的爷爷是桥梁工程师。

yǒu yì tiān tā kāi zhe xiǎo qì chē dài lán lan qù

有一天，他开着小汽车带兰兰去

wán zài lù shàng tā men yù jiàn yì tiáo bō làng gǔn

玩。在路上，他们遇见一条波浪滚

gǔn de dà hé yé ye méi yǒu tíng chē yì zhí xiàng

滚的大河。爷爷没有停车，一直向

dà hé lǐ kāi qù lán lan xià de bì shàng le yǎn

大河里开去。兰兰吓得闭上了眼

jing

睛。

lán lan xià chē kàn kan dà qiáo ba

“兰兰，下车看看大桥吧！”

tīng jiàn yé ye de hǎn shēng lán lan cái gǎn zhēng kāi

听见爷爷的喊声，兰兰才敢睁开

yǎn jing tā yí kàn yuán lái shì yí zuò jià zài shuǐ

眼睛。她一看，原来是一座架在水

lǐ de qiáo hěn xiàng yí zhuàng cháng cháng de fáng zi

里的桥，很像一幢长长的房子。

yé ye gào su tā zhè zhǒng qiáo jiào qián shuǐ

爷爷告诉她，这种桥叫潜水

qiáo shì yòng tè bié jiē shi de bō li zhuān zào de

桥，是用特别结实的玻璃砖造的。

lán lan jīng qí de zhàn zài qián shuǐ qiáo shàng

兰兰惊奇地站在潜水桥上，

本文根据茅以升作品改写。

tòu guò bō li kàn jiàn dà dà xiǎo xiǎo de yú yóu
透过玻璃看见大大小小的鱼游

lái yóu qù gè zhǒng gè yàng de chuán zhī cóng qiáo dǐng
来游去，各种各样的船只从桥顶

shàng shǐ guò lái huá guò qù
上驶过来划过去。

lán lan kàn le yí huì er gēn yé ye zuò
兰兰看了一会儿，跟爷爷坐

shàng qì chē lái dào xiān huā shèng kāi de yuán yě shàng
上汽车，来到鲜花盛开的原野上。

lán lan xià le chē yì biān cǎi yě huā yì biān wǎng
兰兰下了车，一边采野花一边往

qián zǒu yòu yù dào le yì tiáo xiǎo hé
前走，又遇到了一条小河。

lán lan shuō wǒ xiǎng qù hé duì àn wán
兰兰说：“我想去河对岸玩，

kě shì zěn me guò qù ne
可是怎么过去呢？”

bié jí wǒ dài zhe qiáo ne yé ye
“别急，我带着桥呢！”爷爷
dǎ kāi pí bāo qǔ chū yì bāo sù liào guǎn zi shuō
打开皮包，取出一包塑料管子，说，
zhè yòu báo yòu jiē shi de sù liào guǎn zi dǎ jìn
“这又薄又结实的塑料管子，打进
kōng qì jiù chéng le yí zuò qīng qiǎo de qiáo
空气就成了一座轻巧的桥。”

lán lan gēn zhe yé ye zǒu shàng sù liào qiáo
兰兰跟着爷爷走上塑料桥。
zhè qiáo yòu píng yòu wěn
这桥又平又稳。

guò le qiáo yé ye dǎ kāi fàng qì kǒng
过了桥，爷爷打开放气孔。
chī sù liào qiáo pǎo wán qì biàn ruǎn le yòu zì
哧——塑料桥跑完气变软了，又自
dòng zhé dié qǐ lái yé ye bǎ xiàng yǔ yī yí yàng
动折叠起来。爷爷把像雨衣一样

dà xiǎo de sù liào qiáo fàng huí tí bāo lǐ
大小的塑料桥放回提包里。

yé ye zhēn shì yí wèi huì biàn mó shù de qiáo liáng zhuān jiā
爷爷真是一位会变魔术的桥梁专家。

兰 梁 程 波 架 特

砖 划 采 薄 巧 稳

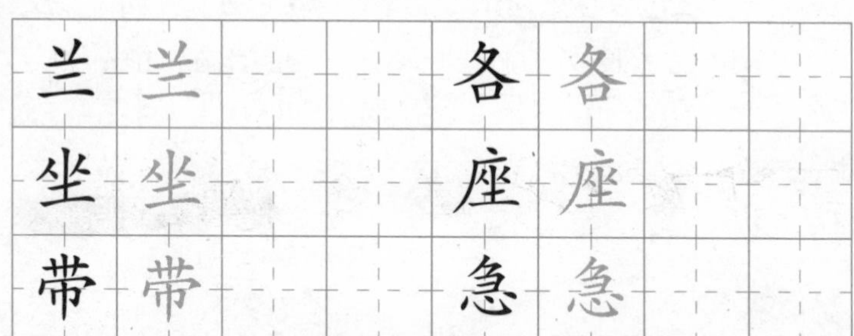

朗读课文。

未来的桥会是什么样呢？我们分头想一想，然后把它画下来吧！

课文中讲的几种桥真神奇。

huǒ chē de gù shi

33 火车的故事

xiǎo míng hé bà ba qù jiāo yóu tā men kàn
小明和爸爸去郊游。他们看
dào yí liè huǒ chē fēi chí ér guò
到一列火车飞驰而过。

zhè me cháng de huǒ chē chē xiāng yì jié lián
这么长的火车车厢，一节连
zhe yì jié kào shén me dài dòng ne xiǎo míng gǎn dào
着一节，靠什么带动呢？小明感到
hěn qí guài bà ba gǔ lì tā zì jǐ nòng míng bai
很奇怪。爸爸鼓励他自己弄明白。

xiǎo míng chá le hǎo jǐ běn shū yuán lái yì
小明查了好几本书。原来，一
jié yì jié de chē xiāng shì yóu jī chē dài dòng de
节一节的车厢是由机车带动的。
zuì zǎo de jī chē shì zhēng qì jī chē hòu lái rén
最早的机车是蒸汽机车。后来，人
men bǎ nèi rán jī zhuāng dào huǒ chē shàng zhì chéng le
们把内燃机装到火车上，制成了
nèi rán jī chē zài hòu lái yòu fā míng le diàn lì
内燃机车。再后来，又发明了电力
huǒ chē cí xuán fú huǒ chē zhè yàng de huǒ chē sù
火车、磁悬浮火车。这样的火车速
dù kuài wū rǎn xiǎo zhēn chēng de shàng shì lǜ sè
度快，污染小，真称得上是“绿色
huán bǎo xíng huǒ chē le
环保型”火车了。

bà ba gào su xiǎo míng wǒ guó de huǒ chē
爸爸告诉小明，我国的火车
bú duàn tí sù xiàn zài cóng běi jīng dào shàng hǎi kě
不断提速。现在从北京到上海，可
yǐ xī fā zhāo zhì
以夕发朝至。

tīng bà ba jiǎng shì jiè shàng hǎi bá zuì gāo
听爸爸讲，世界上海拔最高
de tiě lù qīng zàng tiě lù yǐ jīng zài
的铁路——青藏铁路已经在2006
nián xiū jiàn wán gōng xiàn zài huǒ che kě yǐ kāi
年修建完工。现在，火车可以开
dào shì jiè wū jǐ shàng le zhè zhēn shì yí
到“世界屋脊”上了，这真是一
gè liǎo bù qǐ de chuàng jǔ
个了不起的创举！

zhè tiān wǎn shàng xiǎo míng mèng jiàn zì jǐ chéng
这天晚上，小明梦见自己成
le yì míng huǒ chē sī jī jià zhe xīn xíng de gāo
了一名火车司机，驾着新型的高
sù huǒ chē zài zǔ guó de dà dì shàng fēi chí
速火车，在祖国的大地上飞驰。

郊 列 弄 查 速 断 提

世 界 修 建 创 梦 名

名	名			发	发		
成	成			晚	晚		
动	动			新	新		

朗读课文。

速度　快速　提高　提醒

梦想　做梦　查看　查找

开创　创新　修改　修理

34 小蝌蚪找妈妈

池塘里有一群小蝌蚪，大大的脑袋，黑灰色的身子，甩着长长的尾巴，快活地游来游去。

小蝌蚪游哇游，过了几天，长出两条后腿。他们看见鲤鱼妈妈在教小鲤鱼捕食，就迎上去，问："鲤鱼阿姨，我们的妈妈在哪里？"鲤鱼妈妈说："你们的妈妈四条腿，宽嘴巴。你们到那边去找吧！"

本文根据方惠珍、盛璐德作品改写。

小蝌蚪游哇游，过了几天，长出两条前腿。他们看见一只乌龟摆动着四条腿在水里游，连忙追上去，叫着：“妈妈，妈妈！”乌龟笑着说：“我不是你们的妈妈。你们的妈妈头顶上有两只大眼睛，披着绿衣裳。你们到那边去找吧！”

小蝌蚪游哇游，过了几天，尾巴变短了。他们游到荷花旁边，看见荷叶上蹲着一只大青蛙，披着碧绿的衣裳，露着雪白的肚皮，鼓着一对大眼睛。

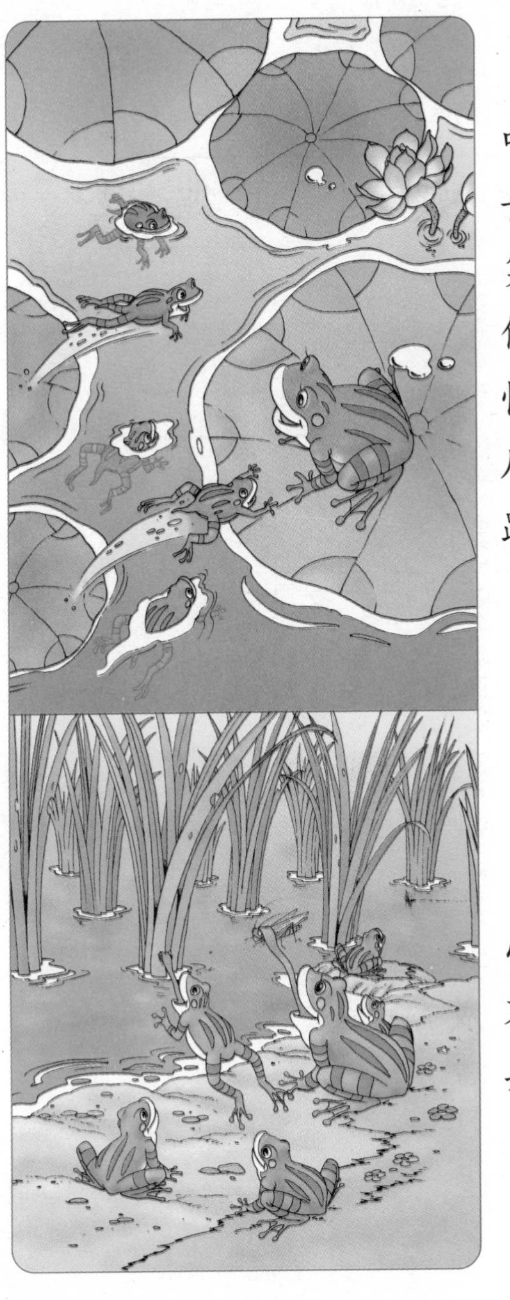

小蝌蚪游过去，叫着："妈妈，妈妈！"青蛙妈妈低头一看，笑着说："好孩子，你们已经长成青蛙了，快跳上来吧！"他们后腿一蹬，向前一跳，蹦到了荷叶上。

不知什么时候，小青蛙的尾巴已经不见了。他们跟着妈妈，天天去捉害虫。

灰 迎 阿 姨 追 顶 披 鼓

有	有			在	在		
什	什			么	么		
变	变			条	条		

读一读 朗读课文。

你们已经长成青蛙了。

小青蛙的尾巴已经不见了。

__________已经__________。

语文园地八

我的发现

千口舌，舌甘(gān)甜。

土里埋(mái)，木帛(bó)棉。

人门闪，马门闯(chuǎng)。

心入门，闷得慌。

合手拿，分手掰(bāi)。

人失足，跌(diē)下台。

甘 埋 闯 掰 跌

日积月累

请 情

(　　)客

事(　　)

完 玩

(　　)成

(　　)耍

很　得	跳　桃
（　　）多	（　　）花
（　　）到	（　　）舞

我发明的机器(qì)

30年以后，我成了科(kē)学家。我发明了一台用处很大的机器。

当台风刮(guā)来时，我马上打开它，它就把台风全部吸(xī)进机器里。海岸再不会被冲垮(kuǎ)，房屋再不会被刮倒[dǎo]。

当雷雨来临(lín)时，天空出现一道道闪电，我马上打开它。它就把闪电吸进机器，贮(zhù)藏起来，然后输(shū)送到各地。人们都能免(miǎn)费(fèi)用电，不再有停电的苦恼(nǎo)。

在炎(yán)热的夏天，这台机器能吸收热量，天气就变得像秋天一样凉爽(shuǎng)。

在寒冷的冬天，这台机器会释(shì)放暖气，人们就不觉得冷了。

口语交际

未(wèi)来的桥

1 未来的桥会是什么样？分组(zǔ)展示(shì)图(tú)画，互相讲(jiǎng)讲自己的画。

2 评一评谁设(shè)计(jì)的桥好。

展示台

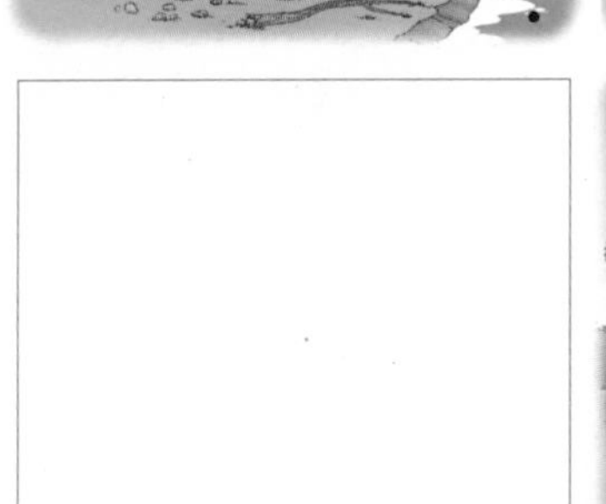

1 春风吹

chūn fēng chuī

春 风 吹

chūn fēng chuī
春 风 吹，
chūn fēng chuī
春 风 吹，
chuī lǜ le liǔ shù
吹 绿 了 柳 树，
chuī hóng le táo huā
吹 红 了 桃 花，
chuī lái le yàn zi
吹 来 了 燕 子，
chuī xǐng le qīng wā
吹 醒 了 青 蛙。

chūn fēng qīng qīng de chuī
春 风 轻 轻 地 吹，
chūn yǔ xì xì de xià
春 雨 细 细 地 下。
dà jiā kuài lái zhòng shù
大 家 快 来 种 树，
dà jiā kuài lái zhòng huā
大 家 快 来 种 花。

hǎo hái zi

2 好孩子

xià yǔ le nǎi nai wàng zhe chuāng hu wài biān

下雨了。奶奶望着窗户外边

huā huā de dà yǔ xīn lǐ hěn zháo jí tā xiǎng jīng

哗哗的大雨，心里很着急。她想：京

jing dài zhe sǎn bú yào jǐn xiǎo líng wàng le dài sǎn

京带着伞，不要紧。小玲忘了带伞，

yí dìng yào lín shī le

一定要淋湿了。

pēng pēng pēng yǒu rén qiāo mén nǎi nai jí máng

嘭嘭嘭！有人敲门。奶奶急忙

lā kāi mén xiǎo líng tiào zhe bèng zhe jìn lái le nǎi

拉开门，小玲跳着蹦着进来了。奶

nai mō zhe xiǎo líng de yī fu qí guài de wèn xiǎo

奶摸着小玲的衣服，奇怪地问：“小

líng nǐ zěn me méi lín shī ne

玲，你怎么没淋湿呢？”

xiǎo líng gāo xìng

小玲高兴

de shuō shì xiǎo méi sòng

地说：“是小梅送

wǒ huí lái de

我回来的。”

nǎi nai xiào zhe

奶奶笑着

shuō tā zhēn shì gè hǎo

说：“她真是个好

本文作者赵继良。

hái zi
孩子!”

dēng dēng dēng jīng jing pǎo jìn lái le tā de
噔噔噔!京京跑进来了。他的
yī fu quán shī le tóu fa shàng de shuǐ zhū zhí wǎng
衣服全湿了,头发上的水珠直往
xià dī nǎi nai xīn téng de wèn nǐ dài le sǎn zěn
下滴。奶奶心疼地问:“你带了伞,怎
me hái lín chéng zhè gè yàng zi
么还淋成这个样子?”

jīng jing duì nǎi nai shuō wǒ bǎ sǎn jiè gěi lù
京京对奶奶说:“我把伞借给路
yuǎn de tóng xué le
远的同学了。”

nǎi nai yì biān
奶奶一边
gěi jīng jing cā tóu fa
给京京擦头发
shàng de yǔ shuǐ yì biān
上的雨水,一边
shuō nǐ yě shì gè
说:“你也是个
hǎo hái zi
好孩子!”

xiàng bí qiáo

3 象鼻桥

xiǎo hé liǎng àn zhù zhe xǔ duō xiǎo dòng wù měi
小河两岸住着许多小动物。每
tiān tā men lái lái wǎng wǎng zǒu guò xiǎo qiáo zhāi yě guǒ
天他们来来往往走过小桥，摘野果，
cǎi mó gu zǒu qīn qi kàn péng yǒu kě rè nao la
采蘑菇，走亲戚，看朋友，可热闹啦！

yì tiān dà yǔ chōng huài le xiǎo qiáo qiáo zhè biān
一天，大雨冲坏了小桥。桥这边
de dòng wù xiǎng ràng qiáo nà biān de dòng wù lái xiū ba
的动物想，让桥那边的动物来修吧。
qiáo nà biān de dòng wù xiǎng ràng qiáo zhè biān de dòng wù
桥那边的动物想，让桥这边的动物
qù xiū ba jiù zhè yàng nǐ děng wǒ wǒ děng nǐ xiǎo
去修吧。就这样，你等我，我等你，小
qiáo yì zhí méi yǒu xiū hǎo
桥一直没有修好。

xiǎo jī shēng bìng le bù néng qù hé duì àn kàn
小鸡生病了，不能去河对岸看
bìng shān yáng yé ye yě bù néng dào hé zhè biān kàn wàng
病。山羊爷爷也不能到河这边看望
xiǎo sūn zi le dà jiā dōu jué de hěn bù fāng biàn
小孙子了。大家都觉得很不方便。

yì tiān qīng zǎo hé shàng tū rán chū xiàn le yí
一天清早，河上突然出现了一

本文根据经绍珍作品改写。

zuò qí guài de qiáo à yuán lái shì liǎng zhī dà xiàng fēn
座奇怪的桥。啊，原来是两只大象分
bié zhàn zài hé de liǎng àn bǎ tā men de cháng bí zi
别站在河的两岸，把他们的长鼻子
dā zài yì qǐ jià qǐ le yí zuò xiàng bí qiáo dòng
搭在一起，架起了一座“象鼻桥”。动
wù men cóng qiáo shàng gāo xìng de zǒu guò jiǎo bù fàng
物们从“桥”上高兴地走过，脚步放
de qīng qīng de yì biān zǒu yì biān chàng qǐ le huān kuài
得轻轻的，一边走一边唱起了欢快
de gē
的歌。

liǎng zhī dà xiàng zài hé biān jìng jìng de zhàn le
两只大象在河边静静地站了
hǎo jǐ tiān dòng wù men fēi cháng gǎn dòng yě hěn cán
好几天，动物们非常感动，也很惭

kuì yú shì dà jiā qí xīn hé lì xiū jiàn le yí zuò
愧。于是，大家齐心合力修建了一座
xīn qiáo
新桥。

wèi le gǎn xiè liǎng zhī rè xīn de dà xiàng dà
为了感谢两只热心的大象，大
jiā gěi xīn qiáo qǐ le gè míng zi jiào xiàng bí qiáo
家给新桥起了个名字，叫“象鼻桥”。

4 gū dōng 咕咚

mù guā shú le yí gè mù guā cóng gāo gāo de
木瓜熟了。一个木瓜从高高的
shù shàng diào jìn hú lǐ gū dōng
树上掉进湖里，咕咚！

tù zi xià le yí tiào bá tuǐ jiù pǎo xiǎo
兔子吓了一跳，拔腿就跑。小
hóu er kàn jiàn le wèn tā wèi shén me pǎo tù zi yì
猴儿看见了，问他为什么跑。兔子一
biān pǎo yì biān jiào bù hǎo le gū dōng kě pà jí
边跑一边叫：“不好了，‘咕咚’可怕极
le
了！”

xiǎo hóu er yì tīng jiù gēn zhe pǎo qǐ lái
小猴儿一听，就跟着跑起来。

tā yì biān pǎo yì biān jiào bù hǎo le bù hǎo le
他一边跑一边叫："不好了，不好了，

gū dōng lái le dà jiā kuài pǎo wa
'咕咚'来了，大家快跑哇！"

zhè yí xià kě rè nao le hú li ya shān yáng
这一下可热闹了。狐狸呀，山羊

a xiǎo lù wa yí gè gēn zhe yí gè pǎo qǐ lái
啊，小鹿哇，一个跟着一个跑起来。

dà huǒ er yì biān pǎo yì biān jiào kuài táo mìng a
大伙儿一边跑一边叫："快逃命啊，

gū dōng lái le
'咕咚'来了！"

dà xiàng kàn jiàn le yě gēn zhe pǎo qǐ lái yě
大象看见了，也跟着跑起来。野

niú lán zhù tā wèn gū dōng zài nǎ lǐ nǐ kàn
牛拦住他，问："'咕咚'在哪里，你看

jiàn le dà xiàng shuō méi kàn jiàn dà huǒ er dōu shuō
见了？"大象说："没看见，大伙儿都说

gū dōng lái le yě niú lán zhù dà huǒ er wèn dà
‘咕咚’来了。”野牛拦住大伙儿问，大

huǒ er dōu shuō méi kàn jiàn zuì hòu wèn tù zi tù zi
伙儿都说没看见。最后问兔子，兔子

shuō shì wǒ tīng jiàn de gū dōng jiù zài nà biān de
说：“是我听见的，‘咕咚’就在那边的

hú lǐ
湖里。”

tù zi lǐng zhe dà jiā lái dào hú biān zhèng hǎo
兔子领着大家来到湖边。正好

yòu yǒu yí gè mù guā cóng gāo gāo de shù shàng diào jìn
又有一个木瓜从高高的树上掉进

hú lǐ gū dōng
湖里，咕咚！

dà huǒ er nǐ kàn kan wǒ wǒ kàn kan nǐ
大伙儿你看看我，我看看你，

dōu xiào le
都笑了。

5 小猴子下山

xiǎo hóu zi xià shān

有一天，小猴子下山来，走到一块玉米地里。他看见玉米结得又大又多，非常高兴，就掰了一个，扛着往前走。

小猴子扛着玉米，走到一棵桃树底下。他看见满树的桃子又大又红，非常高兴，就扔了玉米，去摘桃子。

xiǎo hóu zi pěng zhe jǐ gè táo zi zǒu dào yí

小猴子捧着几个桃子，走到一

piàn guā dì lǐ tā kàn jiàn mǎn dì de xī guā yòu dà

片瓜地里。他看见满地的西瓜又大

yòu yuán fēi cháng gāo xìng jiù rēng le táo zi qù zhāi

又圆，非常高兴，就扔了桃子，去摘

xī guā

西瓜。

xiǎo hóu zi bào zhe yí gè dà xī guā wǎng huí

小猴子抱着一个大西瓜往回

zǒu zǒu zhe zǒu zhe tā kàn jiàn yì zhī xiǎo tù zi

走。走着走着，他看见一只小兔子

bèng bèng tiào tiào de zhēn kě ài jiù rēng le xī guā

蹦蹦跳跳的，真可爱，就扔了西瓜，

qù zhuī xiǎo tù zi

去追小兔子。

xiǎo tù zi pǎo jìn shù lín lǐ bú jiàn le

小兔子跑进树林里，不见了。

xiǎo hóu zi zhǐ hǎo kōng zhe shǒu huí jiā qù

小猴子只好空着手回家去。

生字表（一）

识字1

wàn fù sū liǔ gē wǔ bīng quán dīng bǎi
万 复 苏 柳 歌 舞 冰 泉 丁 百

qí zhēng míng
齐 争 鸣

1

xǐng léi zǎo zhī ruǎn shū shāo shuǎ
醒 雷 澡 枝 软 梳 梢 耍

2

xiàn lùn qù tí dǐ yán lín sǎ dī yóu
线 论 趣 题 底 颜 淋 洒 滴 油

huān
欢

3

dèng zhí jié suì líng yǐ jīng xī zhàn xíng
邓 植 节 岁 龄 已 经 息 站 行

fú zāi qīn
扶 栽 亲

4

gǔ shī shǒu mián chù wén cūn jū zuì yān
古 诗 首 眠 处 闻 村 居 醉 烟

tóng sàn máng
童 散 忙

语文园地一

píng fǎng jǐ yóu jú jiào qián
评 访 挤 邮 局 轿 钱

识字2

dǒng mào fù mǔ jiào rèn cuò shì gǎi yuàn
懂 貌 父 母 教 认 错 事 改 愿

wǎn kuài sǎo kuā
碗 筷 扫 夸

5

quán qí miào què jīng sài guān diào wán huàn
全 奇 妙 却 精 赛 关 掉 完 换

yuán xiě yīn dǎo
员 写 音 蹈

6

pàng xǐ zhāng gāng tiē qiáng tì tuō xié bāng
胖 喜 张 刚 贴 墙 替 拖 鞋 帮

děng biàn qíng
等 变 情

7

mián zhào shài bèi gài wǔ shōu tuō tǎng hé
棉 照 晒 被 盖 午 收 脱 躺 合

yǎn jīng bǎi
眼 睛 摆

8

lián nǚ bèi zhuāng qì lìng gù bìng tài lèi
帘 女 背 装 气 另 顾 病 太 累

yī qiāo lí hù
医 悄 离 户

语文园地二

piào yuán dàn zhí piān biàn
票 元 旦 值 篇 遍

识字3

wù shuāng zhāo xiá xī dié fēng bì zǐ qiān
雾 霜 朝 霞 夕 蝶 蜂 碧 紫 千

lǐ yáng xiù
李 杨 秀

9

dàn qǔ liáng dìng pěng lián qīng fǎng fú tái
蛋 取 凉 定 捧 连 轻 仿 佛 抬

tóu xiàng
投 向

10

cōng huó pō hū rán zhǎ rú zǒng yǐ zhǔ
聪 活 泼 忽 然 眨 如 总 以 主

yì
意

11

xiān lù màn jī bí nǎo dài guài tuī liàng
先 鹿 慢 积 鼻 脑 袋 怪 推 辆

gǎn jiǔ gān jìng
赶 久 干 净

12

shī jí tóng guān wéi gōng zhuān zhǔn bèi duì
失 级 同 观 围 工 专 准 备 队

cái qǐng shuāng gè
才 请 双 各

语文园地三

zì dài shé yè gōng miǎo chǎo
字 代 舌 页 弓 秒 炒

识字4

qīng tíng zhǎn hú qiū yǐn mǎ yǐ yùn kē
蜻 蜓 展 蝴 蚯 蚓 蚂 蚁 运 蝌

dǒu zhī zhū wǎng
蚪 蜘 蛛 网

13

suǒ mù bǔ chán bì lì chí xī yīn qíng
所 牧 捕 蝉 闭 立 池 惜 阴 晴

róu lù
柔 露

14

hé zhū yáo lán jīng tíng píng tòu chì bǎng
荷 珠 摇 篮 晶 停 坪 透 翅 膀

dūn xī
蹲 嘻

15

lián kū zhēng pā gēn yāo pá fēi gǎn jī
莲 哭 睁 趴 根 腰 爬 非 感 激

xiè jí shí
谢 急 时

16

pō gē mēn shēn hǎn cháo shī chóng xiāo bān
坡 割 闷 伸 喊 潮 湿 虫 消 搬

zhèn huā
阵 哗

17

bì hǔ jiè wén shé táo nán jiě xīn
壁 虎 借 蚊 蛇 逃 难 姐 新

语文园地四

cā chāo shí shuāi bō lán mō
擦 抄 拾 摔 拨 拦 摸

识字5

tuán liàng xiāng yù jí pà gōng hù zūn zhòng
团 量 相 遇 及 怕 攻 互 尊 重

lìng chún
令 纯

18

guà jiē shú huǒ bàn cháng tián wēn dòng liǎn
挂 街 熟 伙 伴 尝 甜 温 冻 脸

gāi yīn jì
该 因 季

19

wū yā hē kě píng shí bàn fǎ jiàn
乌 鸦 喝 渴 瓶 石 办 法 渐

20

sī jiǎ gāng bié huāng xià jiào kuài shǐ jìn
司 假 缸 别 慌 吓 叫 块 使 劲

zá pò jiù
砸 破 救

21

chēng xiàng guān tuǐ zhù yì gān chèng dào sōu
称 象 官 腿 柱 议 杆 秤 倒 艘

chén zhǐ wēi
沉 止 微

语文园地五

ǎi shòu àn chǒu xián jiù
矮 瘦 暗 丑 闲 旧

识字 6

hǎi ōu tān jūn jiàn fān yāng dào táng xī
海 鸥 滩 军 舰 帆 秧 稻 塘 溪

gān tóng hào lǐng
竿 铜 号 领

22

wàng wā jǐng xí dǎo gé mìng zhàn shì jiě
忘 挖 井 席 导 革 命 战 士 解

kè niàn
刻 念

23

wáng zhù shào dí dàng shùn tū qiāng shā hài
王 助 哨 敌 荡 顺 突 枪 杀 害

yīng xióng chōng bù
英 雄 冲 部

24

kuān xiā jiǎo jiǎn bèi ké yuán bēn mì pǐ
宽 虾 脚 捡 贝 壳 原 奔 密 匹

shì lóu
市 楼

25

chuī zhù hè xī zǔ guó yóu yǔ fēng yǒng
吹 祝 贺 希 祖 国 由 羽 丰 勇

gǎn lǐ jìng dù
敢 理 敬 度

语文园地六

chǎng jiǎ shēn jù xiōng
厂 甲 申 句 兄

识字 7
xū jiāo ào dàn chéng shí yíng zàn zhāo
虚 骄 傲 淡 诚 实 赢 赞 招

26
fān jiāo shī féi è hòu tiāo dàn
翻 浇 施 肥 饿 候 挑 担

27
shī zhěng liàn xí gǔn pū yǎo kǔ lǎn yáng
狮 整 练 习 滚 扑 咬 苦 懒 洋
tūn jiāng kào yīng
吞 将 靠 应

28
cān diū kuàng zāo gāo cū gài gòng qì jì
餐 丢 矿 糟 糕 粗 概 共 汽 记
bǎo guǎn jiā
保 管 夹

29
pén wèi xuǎn bìng xuān fēn yá guī shèng sī
盆 位 选 并 宣 分 芽 规 盛 丝
biǎo zhǔ
表 煮

语文园地七
bǐng yǐn jiǎo zhū láng
饼 饮 饺 猪 狼

识字 8	chū 初	méi 眉	biàn 辨	dǒu 斗	hú 湖	jí 即	yàn 雁	guī 归	zhuǎn 转	hán 寒
30	gū 姑	niáng 娘	yá 蚜	pàn 盼	zhì 治	zhuó 啄	bān 斑			
31	liǎ 俩	zhāi 摘	bó 伯	ér 而	qiě 且	tī 踢	yǐn 引			
32	lán 兰	liáng 梁	chéng 程	bō 波	jià 架	tè 特	zhuān 砖	huá 划	cǎi 采	báo 薄
	qiǎo 巧	wěn 稳								
33	jiāo 郊	liè 列	nòng 弄	chá 查	sù 速	duàn 断	tí 提	shì 世	jiè 界	xiū 修
	jiàn 建	chuàng 创	mèng 梦	míng 名						
34	huī 灰	yíng 迎	ā 阿	yí 姨	zhuī 追	dǐng 顶	pī 披	gǔ 鼓		
语文园地八	gān 甘	mái 埋	chuǎng 闯	bāi 掰	diē 跌					

（共 550 个字）

生字表（二）

	wàn	dīng	dōng	bǎi	qí	
识字1	万	丁	冬	百	齐	
	shuō	huà	péng	yǒu	chūn	gāo
1	说	话	朋	友	春	高
	nǐ	men	hóng	lǜ	huā	cǎo
2	你	们	红	绿	花	草
	yé	jié	suì	qīn	de	xíng
3	爷	节	岁	亲	的	行
	gǔ	shēng	duō	chù	zhī	máng
4	古	声	多	处	知	忙
	xǐ	rèn	sǎo	zhēn	fù	mǔ
识字2	洗	认	扫	真	父	母
	bà	quán	guān	xiě	wán	jiā
5	爸	全	关	写	完	家
	kàn	zhe	huà	xiào	xìng	huì
6	看	着	画	笑	兴	会
	mā	nǎi	wǔ	hé	fàng	shōu
7	妈	奶	午	合	放	收
	nǚ	tài	qì	zǎo	qù	liàng
8	女	太	气	早	去	亮
	hé	yǔ	qiān	lǐ	xiù	xiāng
识字3	和	语	千	李	秀	香
	tīng	chàng	lián	yuǎn	dìng	xiàng
9	听	唱	连	远	定	向
	yǐ	hòu	gèng	zhǔ	yì	zǒng
10	以	后	更	主	意	总

	xiān	gān	gǎn	qǐ	míng	jìng
11	先	干	赶	起	明	净
	tóng	gōng	zhuān	cái	jí	duì
12	同	工	专	才	级	队
	mǎ	yǐ	qián	kōng	fáng	wǎng
识字 4	蚂	蚁	前	空	房	网
	shī	lín	tóng	huáng	bì	lì
13	诗	林	童	黄	闭	立
	shì	duǒ	měi	wǒ	yè	jī
14	是	朵	美	我	叶	机
	tā	tā	sòng	guò	shí	ràng
15	她	他	送	过	时	让
	ma	ba	chóng	wǎng	de	hěn
16	吗	吧	虫	往	得	很
	hé	jiě	jiè	ne	ya	na
17	河	姐	借	呢	呀	哪
	shuí	pà	gēn	liáng	liàng	zuì
识字 5	谁	怕	跟	凉	量	最
	yuán	yīn	wèi	liǎn	yáng	guāng
18	园	因	为	脸	阳	光
	kě	shí	bàn	fǎ	zhǎo	xǔ
19	可	石	办	法	找	许
	bié	dào	nà	dōu	xià	jiào
20	别	到	那	都	吓	叫
	zài	xiàng	xiàng	zuò	diǎn	zhào
21	再	象	像	做	点	照
	shā	hǎi	qiáo	zhú	jūn	miáo
识字 6	沙	海	桥	竹	军	苗
	jǐng	xiāng	miàn	wàng	xiǎng	niàn
22	井	乡	面	忘	想	念

	wáng	cóng	biān	zhè	jìn	dào
23	王	从	边	这	进	道
	bèi	yuán	nán	ài	xiā	pǎo
24	贝	原	男	爱	虾	跑
	chuī	dì	kuài	lè	lǎo	shī
25	吹	地	快	乐	老	师
	duǎn	duì	lěng	dàn	rè	qíng
识字 7	短	对	冷	淡	热	情
	lā	bǎ	gěi	huó	zhòng	chī
26	拉	把	给	活	种	吃
	liàn	xí	kǔ	xué	fēi	cháng
27	练	习	苦	学	非	常
	wèn	jiān	huǒ	bàn	gòng	qì
28	问	间	伙	伴	共	汽
	fēn	yào	méi	wèi	hái	xuǎn
29	分	要	没	位	孩	选
	běi	nán	jiāng	hú	qiū	
识字 8	北	南	江	湖	秋	
	zhǐ	xīng	xuě	bāng	qǐng	jiù
30	只	星	雪	帮	请	就
	qiú	wán	tiào	táo	shù	gāng
31	球	玩	跳	桃	树	刚
	lán	gè	zuò	zuò	dài	jí
32	兰	各	坐	座	带	急
	míng	fā	chéng	wǎn	dòng	xīn
33	名	发	成	晚	动	新
	yǒu	zài	shén	me	biàn	tiáo
34	有	在	什	么	变	条

（共 250 个字）

后　记

我们在根据教育部制定的《全日制义务教育语文课程标准（实验稿）》编写一套义务教育课程标准实验教科书时，得到了许多教育界前辈和各学科专家学者的帮助和支持。在本册教科书终于和课程改革实验区的学生见面时，我们特别感谢担任这套教材总顾问的丁石孙、许嘉璐、叶至善、顾明远、吕型伟、梁衡、金冲及、白春礼，感谢担任编写指导委员会主任委员的柳斌和编写指导委员会委员的江蓝生、李吉林、杨焕明、顾泠沅、袁行霈，感谢担任学科顾问的刘国正、李吉林、柯岩、顾明远、蒋仲仁，感谢担任学科编写委员会委员的丁培忠、齐文华、李莉莉、吴立岗、肖复兴、周光旋、周根宝、胡富强、舒镇，并在此感谢对这套教材提出修改意见、提供过帮助和支持的所有专家、学者和教师。

为了编好这套教材，我们通过多种渠道与收入本教材作品的作者进行了联系，得到了各位作者的大力支持。在此，我们深表谢意。但是，由于一些作者的姓名和地址不详，暂时还无法取得联系。恳请入选作品的作者尽快与我们联系，以便作出妥善处理。

课 程 教 材 研 究 所
小学语文课程教材研究开发中心

定价批准文号:浙价教材批[2008]2 号　举报电话:12358　定价：6.45 元